D1179152

# FIRST

# BRAZILIAN

## GRAMMAR

# FIRST

# BRAZILIAN

## GRAMMAR

# A COURSE IN BEGINNER'S PORTUGUESE

### EDWIN B. WILLIAMS
UNIVERSITY OF PENNSYLVANIA

## APPLETON-CENTURY-CROFTS, INC.
### NEW YORK

# Preface

This book has been prepared in response to the ever increasing interest in this country in the language of Brazil. It is based on the author's INTRODUCTORY PORTUGUESE GRAMMAR in the sense that the form of presentation of that book, widely tried and approved in the classroom, has been for the most part preserved. And some of the exercises have been adapted and enlarged. The earlier work will continue to be available for those classes which prefer to study the language of Portugal.

Brazilians often complain about the educational practice of their country through which they are obliged to learn in school the grammar of the Portuguese of Portugal so often at variance with the grammatical usages of their own daily speaking and writing. This book has been prepared on the basis of these usages.

The understanding between the Portuguese and Brazilian governments (January 1, 1944) to enact no further legislation in the matter of spelling reform without mutual agreement after consultation with the Academies of both countries is an important step in the direction of uniform Portuguese orthography. The desire for uniformity inspired the publication toward the end of 1943 of a *Pequeno Vocabulário Ortográfico da Língua Portuguêsa* by the Brazilian Academy of Letters. The "Formulário Ortográfico" contained in that book follows closely that of decree No. 5.186 of January 13, 1943 with two exceptions, namely, the rule concerning the written accent mark on words ending in **i, is, u,** and **us,** and the rule concerning the use of the dieresis on unstressed **i** and **u** in hiatus. We have followed the decree in these matters, which prescribes the use of the accent mark and the dieresis, e.g., **aquí** and **saüdar.** In all other matters we have striven to follow the *Pequeno Vocabulário Ortográfico.*

As in AN INTRODUCTORY PORTUGUESE GRAMMAR, the stressed vowel of all stressed words is indicated as follows: (a) in words requiring an accent mark (section 5), by the acute accent mark on

v

i and u and on open a, e, and o, and by the circumflex accent mark
on close a, e, and o, thus: î, ú, á, é, ó, â, ê, and ô; (b) in all other
words, by a subscript point under i and u and under close a, e, and o,
and by a subscript hook under open a, e, and o, thus: i̦, u̦, a̦, e̦, o̦,
a̧, ȩ, and o̧.   In this way the quality of all stressed a's, e's, and o's
is also shown.

The author wishes to express his deep gratitude and indebted-
ness to Lt. Comdr. D. Lee Hamilton of the United States Naval
Academy for valuable aid and suggestions as to plan, to Snra.
Maria Alice Pessoa for useful advice in the formulation of the
exercises, to her husband, Snr. Arnaldo Salazar Pessoa for criticism
and suggestions, to Dr. Linton L. Barrett of the University of
Kansas and the distinguished Brazilian phonetician, Snr. J. Mattoso
Camara, Jr. for ready and helpful counsel, and to Dr. Norman P.
Sacks for careful reading of the proofs.

                                                          E. B. W.

# Contents

# FIRST

# BRAZILIAN

## GRAMMAR

# Pronunciation

**1. The Portuguese alphabet.** The letters of the alphabet are listed below with their names and an explanation of their approximate sounds in English. Although the digraphs **ch (cê agá), lh (éle agá)**, and **nh (éne agá)** represent simple sounds, they have not been incorporated into the alphabet as their Spanish equivalents have. The letters of the alphabet are masculine, e.g., **o éfe maiúsculo** *the capital f*, **o tê minúsculo** *the small t.*

| LETTER | NAME | APPROXIMATE SOUND |
|--------|------|-------------------|
| **a** | á | Open sound: like *a* in *father*, e.g., **caso, parte.** Close sound: when followed by **m, n,** or **nh** and when marked with the til, like *e* in *met* but nasalized, e.g., **cama, campo, ano, antes, sanha, irmã.** |
| **b** | bê | In the initial position or preceded by a consonant, like *b* in *book*, e.g., **bastante, ambos.** Between two vowels or preceded by a vowel and followed by **l** or **r**, it has a slightly spirant quality, but not nearly so marked as in Spanish, e.g., **saber, sôbre.** |
| **c** | cê | When followed by **e** or **i** and when written with a cedilla, like *s* in *say*, e.g., **certo, cinco, começar.** When followed by **a, o, u,** or a consonant, like *c* in *cat*, e.g., **ficar, comer, custar, crer.** The groups **cç** and **ct** are not used in Brazilian orthography unless both letters are pronounced, e.g., **ação, elétrico,** but **secção, aspecto.** |

1

| LETTER | NAME | APPROXIMATE SOUND |
|---|---|---|
| d | dê | In the initial position or preceded by a consonant, like *d* in *door*, e.g., **dizer, mandar**. Between two vowels or preceded by a vowel and followed by **r**, somewhat like *th* in *this*, although not so marked a spirant, e.g., **nada, pedra**. |
| e | é | Stressed open sound: like *e* in *met*, e.g., **sete, légua**. Stressed **e** followed by final **l** or by **l** + consonant always has the open sound, e.g., **papel, relva**. |
| | | Stressed close sound: like *e* in *they* (without the sound of the following *y*), e.g., **mesa, mês**. Stressed **e** always has the close sound nasalized, when followed by **m** or **n**, e.g., **sempre, dente, gêmeo, pena, tenho**. When followed by final **m**, like *ey* in *they* (including the sound of the *y*), nasalized, e.g., **também, ninguém**. |
| | | Unstressed and before the stressed syllable, like *e* in *they* (without the sound of the following *y*), e.g., **dever**. However, like *i* in *machine* in initial **de** in a few common prepositions and adverbs, e.g., **depois, devagar**. When followed by a syllable containing stressed **i**, like *i* in *machine*, e.g., **pedir, feliz**. When followed by **lh** or **nh**, like *i* in *machine*, e.g., **melhor, senhor**. In initial unstressed **des** + consonant, **es** + consonant, and **ex** + vowel or consonant, like *i* in *machine*, e.g., **descansar, estar, exato, expressão**. In initial unstressed **em** + consonant and **en** + consonant, like *i* in *machine*, nasalized, e.g., **empregar, enviar**. |
| | | Unstressed and final, whether followed by **s** or not, like *y* in *pretty*, e.g., **conhece, frases**. Unstressed, final, and followed by **m**, like *ey* in *they*, nasalized, e.g., **devem**. |
| | | In the unstressed monosyllables **e, lhe, me, que, se,** and **te**, like *i* in *machine;* when enclitic, like *y* in *pretty;* when in hiatus with a following vowel, like *y* in *yet*. |
| f | éfe | Like *f* in *food*, e.g., **fome, defesa**. |

| LETTER | NAME | APPROXIMATE SOUND |
|---|---|---|
| g | gê | When followed by *e* or *i*, like *s* in *pleasure*, e.g., **gente, giz**. In all other cases, like *g* in *go*, e.g., **gato, logo, glória**. The latter is the sound of **g** in **gue** and **gui**, although the **u** is not pronounced, e.g., **guerra, guitarra**. When the **u** is pronounced, it is marked with the dieresis, e.g., **agüentar**. |
| h | agá | Always initial, it has no sound and no phonetic value except in the digraphs **ch, lh**, and **nh**, e.g., **haver, hotel**. |
| i | i | Like *i* in *machine*, e.g., **ida, dizer**. |
| j | jota | Like *s* in *pleasure*, e.g., **janela, ajudar**. |
| (k) | ka | Like *k* in *kilogram*. Does not belong to the alphabet and occurs only in foreign words and abbreviations. When final it is followed by the sound of *y* in *pretty*, e.g., **Nova York**. |
| l | éle | In the initial position, between two vowels, or after a consonant, like *l* in *sale*, e.g., **leite, cavalo, claro**. When final or followed by a consonant, has a sound between the *l* of *fault* and the *w* of *now*, e.g., **mal, relva, filme**. |
| m | éme | Initial, like *m* in *more*, e.g., **mais, mulher**. Between two vowels, like *m* in *more* with a nasal resonance on the preceding vowel, e.g., **cama, comércio**. In all other positions, it has no consonantal value but imparts a nasal resonance to the preceding vowel, e.g., **tempo, devem**. |
| n | éne | Initial, like *n* in *note*, e.g., **nadar, nove**. Between two vowels, like *n* in *note* with a nasal resonance on the preceding vowel, e.g., **ano, sono**. In all other positions, it has no consonantal value but imparts a nasal resonance to the preceding vowel, e.g., **dente, enviar**. |

| LETTER | NAME | APPROXIMATE SOUND |
|--------|------|-------------------|
| o | ó | Stressed open sound: like *o* in *north*, e.g., **nove, móvel.** Stressed **o** followed by final **l** or by **l** + consonant always has this open sound, e.g., **espanhol, volta.** Stressed close sound: like *o* in *note*, e.g., **todo, bôca.** Stressed **o** always has the close sound, nasalized, when followed by **m** or **n** (including final **m**), e.g., **rompo, conto, cômodo, Antônio, sonho, bom.** Unstressed and before the stressed syllable, generally like *o* in *note*, e.g., **programa, corrente;** sometimes like *u* in *rule*, e.g., **comêço, comprido.** Unstressed and in hiatus with a following stressed vowel, like *u* in *rule* and sometimes like *w* in *wall*, e.g., **moeda, pessoal.** Unstressed and after the stressed syllable, like *u* in *rule* e.g., **caso, cômodo** (both the **o** of **-mo-** and the **o** of **-do**). |
| p | pê | Like *p* in *open*, e.g., **pé, mapa.** |
| q | quê | Like *c* in *car.* It is always followed by **u,** which when pronounced has the sound of *w.* Unless marked with the dieresis, this **u** is silent before **e** and **i,** e.g., **quando, quem, cinqüenta.** |
| r | érre | Generally pronounced with a slight trill, produced by vibrating the tip of the tongue, e.g., **caro, branco, parte, falar.** Strongly rolled in the initial position and when written double, e.g., **rua, carro.** Sometimes pronounced like English *h* or Spanish *j*, at the beginning of a word or syllable. |
| s | ésse | In the initial position, after a consonant, and when written double between two vowels, like *s* in *say*, e.g., **sentir, pulso, classe.** When single between two vowels and when in liaison before another syntactically related word beginning with a vowel sound, like *z* in *zeal*, e.g., **coisa, os amigos, nós estamos.** Before |

| LETTER | NAME | APPROXIMATE SOUND |
|--------|------|-------------------|
| | | an unvoiced consonant in the same word or in a following syntactically related word, and when absolutely final, like *s* in *say*, e.g., **escola, estudar, esquecer, os cães, nós contamos, nós somos**; (natives of Rio de Janeiro pronounce this **s** like *sh* in *shall*). Before a voiced consonant in the same word or in a following syntactically related word, like *z* in *zeal*, e.g., **Lisboa, desde, rasgo, mesmo, as mãos, nós desejamos**; (natives of Rio de Janeiro pronounce this **s** like *s* in *pleasure*). |
| **t** | tê | Like *t* in *ten*, e.g., **todo, até.** |
| **u** | u | Like *u* in *rule*, e.g., **número, mulher.** Unstressed and before or after another vowel, like *w*, e.g., **língua, quando, causa.** |
| **v** | vê | Like *v* in *vain*, e.g., **vida, livro.** |
| **x** | xis | When initial, after a consonant, and sometimes between vowels, like *sh* in *shall*, e.g., **xadrez, xis, enxame, baixo.** In initial **ex** + vowel, like *z* in *zeal*, e.g., **examinar, exemplo, exercício, êxito.** In initial **ex** + consonant, like Portuguese **ss** (i.e., like *s* in *say*), e.g., **excursão, experiência.** Between two vowels in some words, like Portuguese **ss**, e.g., **próximo, máximo, trouxe** (and all other forms of this tense and the derived tenses). And before a consonant, like Portuguese **ss**, e.g., **sexto, textual.** In a few words, like *x* in *box*, e.g., **fixo, taxi.** |
| **z** | zê | Initial, between two vowels, and when in liaison before another syntactically related word beginning with a vowel sound, like *z* in *zeal*, e.g., **zêlo, fazer, luz elétrica, voz aguda.** Before an unvoiced consonant in a following syntactically related word and when absolutely final, like *s* in *say*, e.g., **voz passiva, uma vez**; |

| LETTER | NAME | APPROXIMATE SOUND |
|--------|------|-------------------|
| | | (natives of Rio de Janeiro pronounce this **z** like *sh* in *shall*). Before a voiced consonant in a following syntactically related word, like *z* in *zeal*, e.g., **a voz do amigo, voz baixa;** (natives of Rio de Janeiro pronounce this **z** like *s* in *pleasure*). |

**2. Digraphs.** The three consonantal digraphs are listed below with their approximate sounds in English.

| DIGRAPH | APPROXIMATE SOUND |
|---------|-------------------|
| **ch** | Like *sh* in *shall*, e.g., **achar, chover.** |
| **lh** | Like *li* in *filial*, except that the *l* is pronounced with the mouth in the position to pronounce *y*. The sound is, therefore, a simple sound instead of two successive sounds, e.g., **ilha, lhe.** |
| **nh** | Like *ni* in *onion*, except that the *n* is pronounced with the mouth in the position to pronounce *y*. The sound is, therefore, a simple sound instead of two successive sounds, e.g., **banho, vinho.** |

**3. Diphthongs.** The oral and nasal diphthongs are listed below with their approximate sounds in English or an explanation of the elements of which they are composed.

| DIPHTHONGS | APPROXIMATE SOUNDS AND EXPLANATIONS |
|------------|-------------------------------------|
| **ai** | Like *i* in *ice*, e.g., **pai, saiba.** |
| **éi** | Combination of the open sound of **e** + *y*, e.g., **hotéis, papéis.** Always stressed and always written with the acute accent mark to show the open sound of **e.** |
| **ei** | Like *ey* in *they*, e.g., **leite, primeiro.** Occurs also in the unstressed position, e.g., **possíveis, faláveis.** |

| DIPHTHONGS | APPROXIMATE SOUNDS AND EXPLANATIONS |
|---|---|
| ói | Combination of the open sound of o + y, e.g., herói, espanhóis. Always stressed and always written with the acute accent mark to show the open sound of o. |
| oi | Combination of the close sound of o + y, e.g., coisa, oito. Is interchangeable with ou in some words (see ou below). |
| au | Like ow in cow, e.g., mau, causal. |
| éu | Combination of the open sound of e + w, e.g., céu, chapéu. Always stressed and always written with the acute accent mark to show the open sound of e. |
| eu | Combination of close sound of e + w, e.g., aprendeu, meu. |
| ou | Like o in note, e.g., outro, soube. The spelling ou and its sound of close o are interchanged with oi (close o + y) in many Portuguese words, e.g., cousa and coisa. But oi cannot be used for ou in sou I am, ou or, the third singular preterit indicative ending -ou, the word outro, or in the preterits coube, soube, trouxe, and the tenses derived from them. This is true of ouro, tesouro, and touro in Brazil, although the spellings with oi are sometimes found. |
| ui | Combination of u in rule + y, e.g., ruivo. |
| iu | Combination of i in machine + w, e.g., partiu. Final io is generally pronounced i + y + u, e.g., tio, rio. |
| ão (and -am) | Nasalized combination of e in met + w, e.g., estão, bênção. In the unstressed position in verbs, it is spelled -am, e.g., falam, falaram. |

| DIPHTHONGS | APPROXIMATE SOUNDS AND EXPLANATIONS |
|---|---|
| ãe | Nasalized combination of *e* in *met* + *y*, e.g., **mãe, cães.** |
| õe | Like **oi** (i.e., close **o** + *y*) but nasalized, e.g., **põe, lições.** |
| ui | Like **ui** (i.e., *u* in *rule* + *y*) but nasalized. Occurs only in the word **muito (muita,** etc.). |

**4. Stress.** Portuguese rules of stress and accentuation are based partly on the simple vowel and partly on the diphthong as the basis of the syllabic unit.

1. Words ending in **-a, -as, -e, -es, -i, -is, -o, -os, -u, -us, -am, -em,** and **-ens** are stressed on the syllable next to the last, e.g., **mẹsa, mẹsas, dẹnte, dẹntes, jụri, jụris, lịvro, lịvros, ọnus, fạlam, họmem, họmens.**

a) If the syllable next to the last is an immediately preceding vowel, that vowel will be stressed, whether the two vowels are in hiatus, e.g., **geografịa, continụas** (2d sg. pres. ind.), **gazụa, pronuncịe, continụe, gentịo, partịam, sorrịem** (3d pl. pres. ind. of **sorrir**), **continụem, recạem,** or combine to form a diphthong, e.g., **recại, metạis, falẹi, comẹis, degrạu, judẹu, falọu, possụi** (3d sg. pres. ind.), **partịu, irmão, alemães, compõe.**

b) If in a word with one of these endings, the syllable next to the last contains one of the digraphs **ai, ei, oi, au, eu, ou, ui,** or **iu,** the stress falls on the first of the two elements of the digraph, e.g., **sạiba, cạia** (pres. subj. of **cair**), **lẹite, mẹio, cọisa, cạusa, dẹusa, ọutro, rụivo.** However, if the digraph is followed by **nd, mb, nh,** or **u,** the stress falls on the second of the two elements of the digraph, e.g., **ạinda, Cọimbra, mọinho, cạiu.**

c) If in a word with one of these endings, the syllable next to the last contains one of the digraphs **ia, io,** or **ua,** the stress falls on the second of the two elements of the digraph, e.g., **diạbo, miọlo, quạtro.**

2. Words ending in **-im, -ins, -um, -uns, -ã, -ãs, -l, -r,** and **-z** are stressed on the last syllable, e.g., **jardịm, jardịns, algụm, algụns, irmã, irmãs, espanhọl, senhọr, felịz.**

a) In accordance with this principle, the stress falls on the second element of a digraph standing before final l, r, or z, e.g., paúl, caír, juíz, and on final -im or -ins preceded by a vowel, e.g., ruím, ruíns.

**5. Accent marks.** 1. For syllables bearing the primary stress, there are two accent marks, an acute and a circumflex. As stressed i and u do not vary in quality, only the acute accent mark is used on them. But as stressed a, e, and o have two distinct qualities each, the acute accent mark is used when they are open and the circumflex when they are close. In other words, whenever an accent mark is necessary on stressed a, e, and o, that mark must be used which corresponds to the quality of the vowel, the acute for open a, e, and o and the circumflex for close a, e, and o.

2. Words not stressed according to the principles set forth in section 4 must bear a written accent mark on the stressed vowel.

a) Examples of words not stressed according to section 4, 1: falará, falarás, maré, francês, aquí, París, avó, avô, hindú, hindús, ninguém,[1] armazéns.

b) Examples of words not stressed according to section 4, 1 a: (a) words stressed on the syllable preceding the digraph: importância, famílias, água, mútuo, faláveis, fáceis, bênção, órgãos; (b) words stressed on the second element of the digraph: sabiá, recaí (1st sg. pret. ind. of recair), recaís (2d pl. pres. ind. of recair), possuí (1st sg. pret. ind. of possuir), baú.

c) Examples of words not stressed according to section 4, 1 b: saída, saía, deísta, doído, saúde, teúba, juízo, ruína, miúdo.

d) Examples of words not stressed according to section 4, 1 c: díada, Calíope, gloríola, falaríamos.

e) Examples of words not stressed according to section 4, 2: órfã, órfãs, móvel, cônsul, açúcar.

f) Since there is no provision in section 4 for words stressed on the third from the last syllable, such words are necessarily among those which require a written accent mark, e.g., alfândega, oráculo,

---

[1] Although the vowel is close, the acute accent mark is used on final -em and -ens, except in such third plural forms as têm and convêm.

**pélago, pêssego, aprendêssemos.** The examples in section d above obviously fall into this category.

3. The acute and circumflex accent marks are used on **a, e,** and **o** in some words in which they are not needed to indicate stress.

a) The circumflex accent mark is used on stressed close **e** and **o** in some words stressed on the syllable next to the last in order that these words may be distinguished in writing from similarly spelled words having open **e** or open **o,** e.g., **lêste** (2d sg. pret. ind. of **ler**) to be distinguished from **lęste** *east;* **dêste** (**de** + demonstrative) to be distinguished from **dęste** (2d sg. pret. ind. of **dar**); **almôço** (noun) to be distinguished from **almǫço** (1st sg. pres. ind. of **almoçar**); **sêca** (fem. of adj.) to be distinguished from **sęca** (3d sg. pres. ind. of **secar**); **sêlo** (noun) to be distinguished from **sęlo** (1st sg. pres. ind. of **selar**). The plural **selos** should not be written with the circumflex accent mark as there is no form of the verb **selar** from which it has to be distinguished.

b) The circumflex accent mark may be used for didactic purposes on stressed close **e** and **o** in any word stressed on the syllable next to the last, even if no discrimination is necessary. Accordingly, in this book, all masculine forms of demonstrative pronouns and of third person stressed personal pronouns, whether combined or not with **de** and **em,** are written with the circumflex accent mark. Thus the student will not lose sight of the difference in quality of the **e** in the masculine and feminine forms. See sections 23, 25, 56, and 57 for lists.

c) When the first vowel of the hiatus **oo** is stressed, the circumflex accent mark is used on it, e.g., **corôo, perdôo.**

d) The acute accent mark is used on **e** and **o** in the stressed diphthongs **ęi, ǫi,** and **ęu** in order to distinguish them from the stressed diphthongs **ęi, ǫi,** and **ęu,** e.g., **platéia, hotéis, papéis, herói, espanhóis, metalóide, ilhéu, chapéus.**

e) The acute or circumflex accent mark, according as the vowel is open or close, is used on stressed monosyllables in **-a, -as, -e, -es, -o,** and **-os,** e.g., **má, más, sé, sés, dê, dês, mês, pó, pós, pôs.** On other monosyllables with close **e** and close **o,** the circumflex accent mark is used only for purposes of distinction, e.g., **pôr** (inf.) to be distinguished from **por** (preposition); **côr** (*color*) to be distinguished from **cọr** (*heart* in the expression **de cọr** *by heart*); **têm** (3d pl. pres. ind.) to be distinguished from **tẹm** (3d sg. pres. ind.). The word **dọr** (*pain, grief*) should not be written with an accent mark, as there is no word from which it is to be distinguished.

4. The grave accent mark is used to replace the acute accent mark to indicate the open quality of the vowel in adjectives transformed into adverbs by the addition of the ending **-mente,** e.g., **fàcilmente** (from **fácil**), **sòmente** (from **só**).

The grave accent mark is used on contractions of the preposition **a** with the feminine forms of the definite article and on contractions of the preposition **a** with the forms of **aquêle,** e.g., **à, às, àquêle.**

# Lesson I

**6. Gender.**   There are only two genders in Portuguese: masculine and feminine.   Nouns ending in **-o** (or **-u**) are generally masculine; nouns ending in **-a** are generally feminine.   Most other endings are not sure indices of gender.

| | | | |
|---|---|---|---|
| **livro** (masculine) | *book* | **casa** (feminine) | *house* |
| **céu** (masculine) | *sky, heaven* | | |

**7. Definite article.**   The singular forms of the definite article are **o** (masculine) and **a** (feminine).

      **o livro**   *the book*        **a casa**   *the house*

These forms combine with the preposition **de** as follows.

      **de + o:   do**        **de + a:   da**

**8. Indefinite article.**   The forms of the indefinite article are **um** (masculine) and **uma** (feminine).

      **um livro**   *a book*        **uma casa**   *a house*

These forms sometimes combine with the preposition **de** as follows.

      **de + um:   dum**        **de + uma:   duma**

**9. Present indicative.**   There are three forms of the present indicative in English, e.g., *I speak, I am speaking, I do speak*.   These three forms are all represented in Portuguese by the simple form **falo**. And this simple form is also used to ask questions: **falo?** *do I speak?*

| | |
|---|---|
| **falo** | *I speak, am speaking, do speak; do I speak?* |
| **fala** | *(he, she, it) speaks, is speaking, does speak* |
| **falamos** | *we speak, are speaking, do speak* |
| **falam** | *(they) speak, are speaking, do speak* |

12

For a construction similar to the English progressive, see section 21, 4.

**10. Negative.** In order to form a negative sentence, **não** *not* is placed before the verb.

**Não falo.**          *I do not speak.*

## VOCABULARY

**bem** well
**a casa** the house
**de** of, from, by
**e** and
**falar** to speak
**o hotel** the hotel
**inglês** English
**a janela** the window
**João** John
**o livro** the book

**mal** badly, poorly
**mas** but
**muito** very
**não** no, not
**o nome** the name
**o número** the number
**a porta** the door
**português** Portuguese
**sim** yes
**também** also, too

## EXERCISES

**A.** *Translate the English words.* 1. A porta *of the* casa. 2. A janela *of a* hotel. 3. O nome *of the* hotel. 4. Uma janela *of a* casa. 5. *The* janela e *the* porta *of the* casa. 6. *I speak* português. 7. *He does not speak* inglês. 8. *We speak* português. 9. João não *speaks* inglês. 10. Falo *English.* 11. *They speak* inglês e português. 12. Não falo *Portuguese.*

**B.** *Translate.* 1. O livro de João. 2. A porta do hotel. 3. O número da casa. 4. Uma casa e um hotel. 5. A porta e a janela. 6. O nome do livro. 7. A porta da casa. 8. A janela do hotel. 9. O nome dum hotel. 10. Uma janela duma casa. 11. O nome do hotel. 12. A janela da casa.

**C.** *Translate.* 1. Fala português. 2. Não fala inglês. 3. Falamos inglês bem. 4. Falam português? 5. Não falam (they do not speak it). 6. Falam inglês muito bem. 7. Falo português mal.

8. Falamos inglês bem mas falamos português mal. 9. João não fala português bem. 10. Fala inglês mal. 11. Falo português e também falo inglês. 12. Falo inglês muito bem mas falo português muito mal. 13. Falo inglês. 14. Falamos português bem. 15. João fala português? 16. Não fala. 17. Falam inglês? 18. Sim, falam. 19. Falamos inglês e português. 20. João fala inglês muito bem. 21. Não falamos bem o inglês. 22. Não falo português. 23. João fala inglês. 24. Fala português também.

**D.** *Translate.* 1. The name of a book. 2. The number of the house. 3. The name of the hotel. 4. The door of a house. 5. A name of a book. 6. The window of the hotel. 7. I do not speak Portuguese very well. 8. John speaks Portuguese and English very poorly. 9. I speak Portuguese and English also. 10. We speak English but we do not speak Portuguese. 11. They speak English very well also. 12. Does John speak Portuguese? 13. Yes, he speaks Portuguese very well. 14. They speak Portuguese. 15. We speak English. 16. John does not speak Portuguese. 17. I speak English very well. 18. We do not speak Portuguese very well. 19. They speak Portuguese and English. 20. He speaks Portuguese well. 21. He speaks English too.

# Lesson II

## 11. Formation of plural. Nouns ending in a vowel sound or diphthong.

1. Nouns ending in a vowel (oral or nasal) form their plural by adding **-s.**

| | | | |
|---|---|---|---|
| lįvro | *book* | lįvros | *books* |
| cạsa | *house* | cạsas | *houses* |
| dẹnte | *tooth* | dẹntes | *teeth* |
| irmã | *sister* | irmãs | *sisters* |

2. Nouns ending in **-m** (which is not pronounced but is used to show the nasal quality of the preceding vowel) form their plural by changing this **m** to **n** and adding **-s.**

| | | | |
|---|---|---|---|
| họmem | *man* | họmens | *men* |
| jardịm | *garden* | jardịns | *gardens* |
| sọm | *sound* | sọns | *sounds* |

3. Nouns ending in the nasal diphthong **-ão** form their plural by adding **-s** or by changing **-ão** to **-ões** or **-ães.**

| | | | |
|---|---|---|---|
| irmão | *brother* | irmãos | *brothers* |
| lição | *lesson* | lições | *lessons* |
| cão | *dog* | cães | *dogs* |

Which of these formations is correct for a given noun may often be determined by referring to the corresponding Spanish plural, e.g., for the above nouns: **hermanos, lecciones,** and **canes.** But note that the plural of **verão** *summer* is **verões;** cf. Spanish **veranos.**

## 12. Definite article (continued).

The plural forms of the definite article are **os** (masculine) and **as** (feminine).

      **os livros** *the books*       **as casas** *the houses*

The forms of the definite article combine with the prepositions **de** and **em** as follows.

15

| de + o: | do | de + os: | dos |
|---------|-----|----------|-----|
| de + a: | da | de + as: | das |
| em + o: | no | em + os: | nos |
| em + a: | na | em + as: | nas |

## VOCABULARY

agora now
ainda still, yet
o aluno the pupil, the student
aquí here
a ave the bird
o cão the dog
com with
em in, into, on, at
Filadélfia Philadelphia
o homem the man
a irmã the sister
o irmão the brother
o jardim the garden
o latido the bark, the barking
a lição the lesson
Lisboa Lisbon
Maria Mary

morar to live
moro I live
mora (he *or* she) lives
moramos we live
moram (they) live
Nova York New York
onde? where?
o padeiro the baker
o pão the bread, loaf of bread; os
pães the loaves of bread
quem? who?
o Rio (de Janeiro) Rio de Janeiro
o som the sound
o violino the violin
vizinho -a neighboring, next door;
o vizinho the neighbor

## EXERCISES

**A. 1.** *Translate the English words.* 1. Os violinos *of the* irmão.
2. Os cães *of the* homem. 3. A casa *in the* jardim. 4. As aves *of
the* vizinhos. 5. O homem *in the* janela. 6. O latido *of the* cães.
7. *In the* casa vizinha. 8. O cão *of the* homens. 9. Uma casa *with
a* jardim. 10. *In the* casa de Maria. 11. As lições *of the* irmãos.
12. As *sisters* do homem. 13. Os *men* com os *loaves of bread*.
14. Onde *does* a irmã *live?* 15. *She lives* em Nova York. 16. Onde
*does* João *live?* 17. *He lives* no Rio. 18. Moram *in* Filadélfia.
19. *We live* na casa vizinha. 20. Moramos *in* Rio de Janeiro.

**B.** *Translate.* 1. Os cães do vizinho. 2. No jardim da casa.
3. As lições da irmã. 4. O som dos violinos. 5. Os pães do

padeiro. 6. Os irmãos dos homens. 7. Os sons das aves. 8. As irmãs de João. 9. Casas com jardins. 10. As janelas do hotel.

**C.** *Change the following forms (both article and noun) to the plural:*
o som, a lição, o cão, o jardim, o violino, o nome, o verão, o livro, a porta, o homem, a janela, a irmã, a ave, o pão, o irmão, o aluno.

**D.** *Translate.* 1. Onde João mora? 2. Mora no Rio de Janeiro. 3. Onde mora o irmão de João? 4. Mora em Filadélfia. 5. A irmã mora ainda no Rio de Janeiro? 6. Sim, ainda mora no Rio. 7. Moro aquí e o padeiro mora na casa vizinha. 8. Onde mora o homem? 9. Mora na casa com jardim. 10. Onde moram as irmãs de Maria? 11. Moram no hotel. 12. Não moramos em Nova York, moramos em Filadélfia. 13. Quem mora na casa vizinha? 14. Os alunos moram na casa vizinha. 15. Os alunos ainda moram em Lisboa? 16. Sim, ainda moram em Lisboa. 17. Moramos aquí, mas os alunos moram no hotel.

**E.** *Translate.* 1. The sounds of the birds. 2. The violins of the pupils. 3. The loaves of bread of the bakers. 4. The sound of the violin. 5. The bread of the bakers. 6. The men with the dogs. 7. The bakers with the loaves of bread. 8. Where does Mary live? 9. She lives in the house next door. 10. We live in a house but they live in a hotel. 11. Do they live in Rio? 12. They do. 13. Who lives in the house next door? 14. Mary still lives in the house next door. 15. Who lives in the hotel? 16. The baker lives in the hotel. 17. Where do the men live? 18. They live in the house next door. 19. We live in Philadelphia but the student lives in Lisbon. 20. They live in Rio de Janeiro.

# Lesson III

**13. Formation of plural. Nouns ending in a consonant sound.**
**1.** Nouns ending in **r**, **s**, or **z** form their plural by adding **-es**.

| | | | |
|---|---|---|---|
| flọr | *flower* | flọres | *flowers* |
| mês | *month* | mẹses | *months* |
| vọz | *voice* | vọzes | *voices* |

a) The following nouns ending in **-s** remain unchanged in the plural.

| | | | |
|---|---|---|---|
| lạpis | *pencil* | lạpis | *pencils* |
| pịres | *saucer* | pịres | *saucers* |

**2.** Nouns ending in **-l** form their plural by dropping the **l** and adding **-is**.

| | | | |
|---|---|---|---|
| animạl | *animal* | animạis | *animals* |
| papẹl | *paper* | papéis | *papers* |

**14. Present indicative of the three conjugations.** There are three conjugations in Portuguese, and they are indicated by the ending of the infinitive: **-ar** (first conjugation), **-er** (second conjugation), and **-ir** (third conjugation).

| | falạr | *to speak* | aprendẹr | *to learn* | partịr | *to leave* |
|---|---|---|---|---|---|---|
| | SINGULAR | | SINGULAR | | SINGULAR | |
| 1. | fạl-o | *I speak* | aprẹnd-o | | pạrt-o | |
| 2. | (fạl-as) | *thou speakest* | (aprẹnd-es) | | (pạrt-es) | |
| 3. | fạl-a | *he, she, it speaks* | aprẹnd-e | | pạrt-e | |
| | PLURAL | | PLURAL | | PLURAL | |
| 1. | fal-ạmos | *we speak* | aprend-ẹmos | | part-ịmos | |
| 2. | (fal-ạis) | *you speak* | (aprend-ẹis) | | (part-ís) | |
| 3. | fạl-am | *they speak* | aprẹnd-em | | pạrt-em | |

18

The second person forms of verbs and pronouns are placed in parentheses in this book. They are not used in conversational Portuguese. See section 15.

**15. Second person.** The second person forms of the verb are not used in conversational Portuguese. Instead of them, the third person forms are used with **o senhor (a senhora, os senhores, as senhoras)** or **você (vocês)**, e.g., **O senhor fala inglês** *You speak English*, **Os senhores falam inglês** *You* (pl.) *speak English*, **Você fala inglês** *You speak English*, **Vocês falam inglês** *You* (pl.) *speak English*. It is generally correct to use **o senhor (a senhora, os senhores, as senhoras)**, although **você (vocês)** is commonly used among friends, to children, and to subordinates. These words are not repeated as frequently as *you* is in English.

## VOCABULARY

alemão German
o ano the year
aprender to learn
a chícara the cup
espanhol Spanish
estudar to study
a flor the flower
francês French
o general the general
o jornal the newspaper
o lápis the pencil
o mês the month
muito very; much, hard

o papel the paper
o pires the saucer
pouco little
que? what?
o senhor the gentleman, sir, Mr.; you
a senhora the lady, young lady, Mrs.; you
trabalhar to work
o verão the summer
você you
a voz the voice

## EXERCISES

**A.** *Translate the English words.* 1. Os *newspapers* dos homens. 2. Os *months* do ano. 3. Os *pencils* da senhora. 4. Os *hotels* dos *generals*. 5. As senhoras com os *newspapers*. 6. As *voices* dos senhores. 7. *The flowers* do aluno. 8. Onde *do you work?* 9. *We work* em Nova York. 10. *Are you learning* a falar espanhol? 11. *I* *am learning* a falar espanhol.   12. Os *pencils* dos *pupils*.   13. Que *are you studying*?   14. *I am studying* português.   15. *We are learning* a falar português.   16. *They work* muito.   17. Aprendemos *German* e *French*.

**B.** *Translate.*   1. As flores da senhora.   2. Os meses das flores. 3. O som das vozes.   4. Os jornais do senhor.   5. O lapis da senhora.   6. A voz de Maria.   7. Os lapis da irmã.   8. Os pires da senhora.   9. Os lapis dos generais.

**C.** *Change the following forms (both article and noun) to the plural:* a flor, a chícara, o general, o mês, o hotel, a voz, o lapis, o jornal, o ano, o pires, o papel, o verão.

**D.** *Translate.*   1. Você trabalha muito?   2. Sim, senhor, trabalho muito.   3. O senhor aprende a falar alemão?   4. Não, senhor, aprendo a falar português.   5. A senhora fala bem o português mas fala mal o alemão.   6. Onde o general mora?   7. O general mora no hotel vizinho.   8. Que estudam os senhores?   9. Estudamos francês e português.   10. João trabalha muito.   11. Que estuda o senhor?   12. Estudo alemão.   13. Aprende a falar espanhol? 14. Não, senhor, não aprendo a falar espanhol, aprendo a falar francês.   15. Você trabalha muito?   16. Não trabalho muito, trabalho pouco.   17. O senhor fala bem o português?   18. Não, senhor, falo português muito mal.   19. Os senhores estudam muito? 20. Estudamos muito, sim, senhor.

**E.** *Translate.*   1. The months of summer.   2. The voices in the garden.   3. The man with the papers.   4. The flowers in the windows.   5. The newspapers of the lady.   6. The voices of the gentlemen.   7. The lady with the saucer.   8. The cups and the saucers. 9. Do you speak Spanish?   10. No, I do not speak Spanish but I am learning to speak Portuguese.   11. Do you study hard?   12. Yes, I study Portuguese very hard.   13. Do the generals speak Portuguese?   14. No, they do not.   15. Are you learning to speak French?   16. Yes, sir, I am learning to speak French and also Spanish.   17. Do you (pl.) study much?   18. No, sir, we do not study much.   19. Do you work hard?   20. Yes, sir, I work hard.

# Lesson IV

**16. Present indicative of *ser* *to be*.**

| | | | |
|---|---|---|---|
| sọu | *I am* | sọmos | *we are* |
| (és) | *thou art* | (sọis) | *you are* |
| é | *he, she, it is* | são | *they are* |

**17. Formation of feminine of adjectives.** 1. Adjectives ending in -o form their feminine by changing -o to -a.

| MASC. | | FEM. |
|---|---|---|
| frịo | *cold* | frịa |
| brạnco | *white* | brạnca |

2. Adjectives ending in -ão form their feminine by changing -ão to -ã.

| MASC. | | FEM. |
|---|---|---|
| alemão | *German* | alemã |
| são | *healthy* | sã |

3. Adjectives ending in -e remain unchanged in the feminine.

| MASC. | | FEM. |
|---|---|---|
| dọce | *sweet* | dọce |
| pọbre | *poor* | pọbre |

4. Adjectives ending in -m remain unchanged in the feminine.

| MASC. | | FEM. |
|---|---|---|
| comụm | *common* | comụm |
| jọvem | *young* | jọvem |

| Exception: | bọm | *good* | bọa |
|---|---|---|---|

21

5. Adjectives ending in a consonant generally remain unchanged in the feminine.

| MASC. | | FEM. |
|-------|-------|------|
| cortês | *polite* | cortês |
| azul | *blue* | azul |
| simples | *simple* | simples |

Except adjectives of nationality:

| MASC. | | FEM. |
|-------|-------|------|
| inglês | *English* | inglêsa |
| espanhol | *Spanish* | espanhola |

6. The feminine of **mau** *bad* is **má**.   The adjective **só** *only, alone* is the same in both genders.

**18. Formation of plural of adjectives.**   The plural of adjectives is formed like the plural of nouns.

1. Adjectives ending in a vowel (oral or nasal) or a nasal diphthong form their plural by adding **-s.**

| | SINGURAL | | PLURAL |
|---|----------|-------|--------|
| | frio | *cold* | frios |
| | fria | *cold* | frias |
| | doce | *sweet* | doces |
| | são | *healthy* | sãos |
| | sã | *healthy* | sãs |
| Exception: | alemão | *German* | alemães |
| | alemã | *German* | alemãs |

2. Adjectives ending in **-m** form their plural by changing this **m** to **n** and adding **-s.**

| | | |
|--------|---------|--------|
| jovem | *young* | jovens |
| comum | *common* | comuns |
| bom | *good* | bons |

3. Adjectives ending in **-r, -s,** or **-z** form their plural by adding **-es.**

| | | |
|---|---|---|
| elementar | *elementary* | elementares |
| cortês | *polite* | corteses |
| feliz | *happy* | felizes |
| Exception: simples | *simple* | simples |

4. Adjectives ending in **-l** form their plural by dropping this **l** and adding **-is.**

| | | |
|---|---|---|
| azul | *blue* | azuis |
| possível | *possible* | possíveis |
| espanhol | *Spanish* | espanhóis |

a) If the vowel preceding the **l** is accented **i,** this **i** and the **i** of **-is** contract to a single **i.**

| | | |
|---|---|---|
| civil | *civil* | civís |

b) If the vowel preceding the **l** is unaccented **i,** this **i** becomes **e** before the addition of **-is.**

| | | |
|---|---|---|
| fácil | *easy* | fáceis |
| útil | *useful* | úteis |

**19. Agreement and position of adjectives.** Adjectives agree in gender and number with the noun they modify. They generally follow this noun.

| | |
|---|---|
| homem são | *healthy man* |
| homens sãos | *healthy men* |
| pessoa sã | *healthy person* |
| pessoas sãs | *healthy persons* |

The adjectives **bom** and **mau** often precede the noun they modify.

| | |
|---|---|
| um bom cavalo | *a good horse* |
| um mau escritor | *a poor writer* |

## VOCABULARY

aplicado -a studious
azul blue
bom, boa good, kind
o Brasil Brazil
em breve soon
cortês polite
desejar to wish, desire
difícil difficult, hard
doce sweet, gentle
elementar elementary
fácil easy
feliz happy
frio -a cold
já now, at once
jovem young
a língua the language

mau, má bad, unkind
a moça the girl
a mocinha the young girl
para for, to, towards
partir to leave
passar to spend
a pessoa the person
pobre poor
porque because
por que? why?
preguiçoso -a lazy
o rapaz the boy
são, sã healthy
simples simple
útil useful

## EXERCISES

**A.** *Read.* Maria é uma moça inglêsa e João é um rapaz inglês.
Maria é a irmã de João e João é o irmão de Maria. Estudam o
português porque desejam passar um ano no Brasil. Maria é
aplicada mas João é preguiçoso. Maria aprende muito mas João
aprende pouco.

**B.** *Answer in Portuguese.* 1. Que língua falam os ingleses?
2. Que língua falam no Brasil? 3. Que língua Maria e João falam?
4. Que língua estudam Maria e João? 5. Por que estudam português? 6. Por que Maria aprende muito? 7. Por que João aprende
pouco?

**C.** *Translate the English words.* 1. As línguas são *easy.* 2. Os
rapazes são *bad.* 3. As moças são *polite.* 4. Somos *happy.* 5. A
lição é *simple.* 6. *He wishes* estudar português. 7. Os rapazes
*study* francês. 8. Moram *in* Rio de Janeiro. 9. Os rapazes são
*polite.* 10. As janelas são *blue.* 11. As lições são *simple* e *easy.*
12. As lições são *difficult.* 13. *We wish* aprender espanhol. 14.
*You wish* morar no Rio.

**D.** *Give the feminine of the following forms:* aplicado, azul, bom, alemão, pobre, espanhol, francês, feliz, simples, são, português, americano, fácil.

**E.** *Give the plural of the following forms:* jovem, doce, azul, bom, simples, espanhol, alemão, sã, fria, difícil, boa, português, feliz, espanhola.

**F.** *Translate.* 1. As lições são simples e fáceis. 2. São senhores espanhóis. 3. As janelas são azuis. 4. A senhora é muito cortês. 5. A voz da senhora é muito doce. 6. Os lapis são úteis. 7. Os rapazes são bons para as irmãs. 8. Desejamos lições fáceis. 9. Os homens espanhóis são corteses. 10. As portas são azuis. 11. As lições elementares são fáceis e simples. 12. É um mês muito frio. 13. Os livros são bons e úteis. 14. São vozes muito doces. 15. São pessoas muito jovens e felizes. 16. Somos rapazes pobres. 17. As mocinhas são más (*fem. pl. of* **mau**) para os irmãos. 18. São senhoras portuguêsas. 19. É uma senhora espanhola.

**G.** *Translate.* 1. O que você deseja? 2. Desejo passar um ano no Brasil. 3. Os senhores desejam aprender a falar português. 4. Desejo morar no Rio de Janeiro. 5. Que deseja o senhor estudar? 6. Desejo estudar português. 7. João deseja partir? 8. Sim, senhor, deseja partir já. 9. Os rapazes desejam morar em Lisboa. 10. Desejo aprender a falar português. 11. Estudam muito e aprendem pouco. 12. Os senhores desejam morar em Filadélfia? 13. Não, senhor, não desejamos morar em Filadélfia, desejamos morar no Rio.

**H.** *Translate.* 1. They wish to learn Spanish. 2. The books are useful. 3. Why do you study Portuguese? 4. I study Portuguese because I wish to spend a year in Brazil. 5. We are learning Portuguese. 6. The boy is lazy but the girl is studious. 7. Languages are difficult. 8. The young ladies are German. 9. We are Spanish. 10. Do you wish to learn Spanish? 11. No, I do not wish to learn Spanish. 12. The lady is very polite. 13. The boys are kind to the sister. 14. The lesson is very simple. 15. The voices of the girls are sweet.　16. They are very poor boys.　17. I wish to live in New York.　18. Do you wish to study with John? 19. No, sir, I do not wish to study with John.　20. The gentlemen are very polite.　21. I wish to leave for Lisbon now.　22. She is a very polite person.　23. The girl is Portuguese.　24. They are Spanish gentlemen.　25. They are studious.

# Lesson V

## 20. Present indicative of *estar* to be.

| | | | |
|---|---|---|---|
| estou | *I am* | estamos | *we are* |
| (estás) | *thou art* | (estais) | *you are* |
| está | *he, she, it is* | estão | *they are* |

**21. Use of *ser* and *estar*.** These two verbs mean *to be*. The basic difference between them is that **ser** expresses a permanent or characteristic state of being while **estar** expresses a temporary or accidental state of being.

Spanish cannot always be safely followed as a guide to the use of **ser** and **estar** in Portuguese.

1. The basic difference between **ser** and **estar** is found in their use with predicate adjectives.

| | |
|---|---|
| O amigo é cego. | *The friend is blind.* |
| O ferro é duro. | *Iron is hard.* |
| João está doente. | *John is ill.* |
| A casa está cheia. | *The house is full.* |

a) In accordance with this principle an adjective may have one value with **ser** and another with **estar**.

| | |
|---|---|
| O hotel é bom. | *The hotel is good.* |
| O aluno está bom. | *The pupil is well.* |
| O gêlo é frio. | *Ice is cold* (characteristically). |
| A água está fria. | *The water is cold* (accidentally). |

Unlike Spanish **malo,** Portuguese **mau** with **estar** does not mean *ill.* Use **mal** or **doente: A criança está mal** or **doente** *The child is ill.*

b) **Ser** and **estar** are similarly used with past participles (**-ado, -ido**) functioning as adjectives.

27

| | |
|---|---|
| **O telhado é coberto com telhas.** | *The roof is covered with tiles.* |
| **O telhado está coberto de neve.** | *The roof is covered with snow* |

Note the difference between this and the Spanish usage.

c) Sometimes **estar** with predicate adjective or past participle expresses in accordance with this principle a state of being of recent origin.

| | |
|---|---|
| **O café é caro.** | *Coffee is dear.* |
| **O café está caro.** | *Coffee is dear now (has just gone up).* |
| **A porta é pintada de verde.** | *The door is painted green.* |
| **A porta está pintada de fresco.** | *The door is freshly painted.* |

d) **Ser** is used with **rico, pobre, jovem (novo), velho, casado,** and **solteiro** because these adjectives represent characteristic and relatively permanent states of being.

| | |
|---|---|
| **João é rico e Maria é pobre.** | *John is rich and Mary is poor.* |

2. The basic difference between **ser** and **estar** is generally observed in their use to express location and position.

| | |
|---|---|
| **Onde é a biblioteca?** | *Where is the library?* |
| **Onde está João?** | *Where is John?* |

However, **estar** is often used to express permanent location. One may, accordingly, say: **Onde está a biblioteca?** *Where is the library?*

3. Special uses of **ser.**

a) **Ser** is always used when the predicate is a substantive (noun or pronoun).

| | |
|---|---|
| **Somos amigos.** | *We are friends.* |
| **É médico.** | *He is a physician.* |

b) **Ser** is generally used in impersonal expressions.

| | |
|---|---|
| **É verdade.** | *It is true.* |
| **É possível.** | *It is possible.* |

c) **Ser** is used with past participles (**-ado, -ido**) to form the passive voice.

**Aquêles livros são vendidos naquela loja.**     *Those books are sold in that store.*

For another special use of **ser,** see section 31.

4. Special use of **estar.** **Estar** is used with the gerund (**-ando, -endo, -indo**) to express an action in progress. This construction is somewhat similar to the progressive form in English.

**Está dormindo.**     *He is sleeping.*

## VOCABULARY

o **advogado** the lawyer
a **água** the water
o **ar** the air
o **ator** the actor
  **ausente** absent
a **cadeira** the chair
o **campo** the country
  **em casa** at home, home
  **cansado -a** tired
  **casado -a** married
  **cego -a** blind
  **cheio -a** full
a **cidade** the city
  **coberto -a** covered
  **comprido -a** long
o **copo** the glass, the tumbler
a **estrada** the road
  **estreito -a** narrow
  **ficar** to stay, remain
  **hoje** today
  **juntos -as** together
  **longe (de)** far (from)
o **médico** the physician
a **mesa** the table

  **mesmo -a** same
o **mundo** the world; **todo o mundo** everybody
a **neve** the snow
o **norte-americano** the American
o **pé** the foot
a **pedra** the stone
a **pena** the trouble; **é pena** it is a pity
  **perto (de)** near
  **preciso -a** necessary
  **preparar** to prepare
  **presente** present
  **quente** hot
  **rico -a** rich
a **rua** the street
  **sempre** always
o **soldado** the soldier
  **solteiro -a** single, unmarried
o **teatro** the theater
  **é tempo de** it is time to
  **todos** everybody
  **vazio** empty
  **é verdade** it is true

## EXERCISES

**A.** *Read.* José mora no campo e João mora na cidade. A casa de João é longe da casa de José. Os rapazes sempre preparam juntos as suas (their) lições. Hoje a estrada está coberta de neve. João fica na cidade e José fica no campo. Os rapazes ficam em casa. Hoje não estudam juntos.

**B.** *Answer in Portuguese.* 1. Onde João mora? 2. Onde José mora? 3. A casa de João é perto da casa de José? 4. Por que João fica na cidade? 5. Por que José fica no campo? 6. João e José estão juntos hoje? 7. Por que não estão juntos?

**C.** *Translate the English words.* 1. O advogado *is* norte-americano. 2. A rua *is* estreita. 3. João e José *are* cansados. 4. *She is* casada. 5. O senhor *is* solteiro. 6. A pedra *is* quente. 7. O lapis *is* perto do livro. 8. O mundo *is* mau. 9. O português *is* uma língua útil. 10. *We are* juntos. 11. A estrada *is* coberta (strewn) de pedras. 12. A estrada *is* coberta (surfaced) com pedras. 13. O teatro *is* perto. 14. *We are* cansados. 15. *I am* em casa. 16. O homem *is* muito pobre. 17. O irmão de João *is* cego. 18. *It is* fácil aprender inglês. 19. *It is* tempo de partir. 20. *I am* advogado. 21. *We are* casados.

**D.** *Translate.* 1. A moça está presente. 2. A cidade é muito perto. 3. A cadeira está perto da porta. 4. É preciso estudar muito. 5. Hoje o ar está muito quente. 6. As ruas da cidade são muito estreitas. 7. A mesa é comprida. 8. Os pés dos soldados estão cansados. 9. Os senhores espanhóis são ricos. 10. A irmã de Maria é feliz. 11. A cidade está cheia de soldados. 12. Hoje estão todos presentes. 13. A água está muito quente. 14. Todos desejam ser felizes. 15. Deseja o senhor ficar em casa? 16. Sim, senhor, estou em casa e desejo ficar em casa. 17. Onde é o teatro? 18. O teatro é na mesma rua. 19. O ator está agora no teatro. 20. A rua do Catete é perto. 21. Maria está longe agora. 22. São casados. 23. A irmã de Maria é muito rica. 24. O irmão é solteiro. 25. João está em casa. 26. A casa é longe do teatro.

27. Todo o mundo está presente. 28. A mesa está cheia de livros.
29. É o mesmo médico. 30. Somos solteiros.

**E.** *Translate.* 1. É verdade que a estrada é má? 2. É. 3. O senhor é ator. 4. São advogados. 5. É médico. 6. Somos norte-
-americanos. 7. É tempo de partir. 8. É preciso estudar muito para aprender o português bem. 9. Não é fácil aprender o português. 10. Não é verdade. 11. É pena. 12. João está traba-
lhando. 13. Estamos estudando o espanhol. 14. A casa é longe do teatro. 15. Aquí estou longe do senhor. 16. Todo o mundo está estudando o português. 17. Os soldados estão cansados.
18. As lições de português são difíceis. 19. Estou em casa mas João está no teatro. 20. O copo está cheio de água. 21. O copo está vazio. 22. Aquí estamos longe da cidade. 23. As ruas estão cobertas de neve. 24. As chícaras dos senhores estão vazias. 25. Os portuguêses são muito corteses. 26. Estão estudando a língua francesa.

**F.** *Translate.* 1. The air of the country is warm today. 2. They are very rich. 3. The theater is full. 4. Everybody is absent today. 5. The road is narrow. 6. The air is always cold here.
7. The chair is not near the window. 8. John's brother is married.
9. He is not far from New York. 10. She is home. 11. The streets are narrow. 12. The glasses are empty but the cups are full.
13. The soldiers are not tired. 14. We are single. 15. The table is long and narrow. 16. It is necessary to study hard. 17. We are Americans. 18. The boys are at the theater. 19. We are at home.
20. I am an American. 21. It is necessary to leave now. 22. They are studying. 23. They are very poor. 24. We wish to stay home.
25. It is time to study. 26. It is true. 27. We are far from Rio now. 28. The house is near the road. 29. We are married. 30. They are tired. 31. John is poor. 32. They are unmarried.

# Lesson VI

**22. Present indicative of** *fazer* *to make, do.*

| | |
|---|---|
| fąço | fazęmos |
| (fązes) | (fazęis) |
| fąz | fązem |

**23. Demonstrative adjectives and pronouns.**

| MASC. | | FEM. |
|---|---|---|
| êste | *this, this one* | ęsta |
| êstes | *these* | ęstas |
| êsse | *that, that one* (near you) | ęssa |
| êsses | *those* | ęssas |
| aquêle | *that, that one* (yonder) | aquęla |
| aquêles | *those* | aquęlas |

**Êste** corresponds to the first person in that it refers to something (or someone) near the speaker; **êsse** corresponds to the second person in that it refers to something (or someone) near the person spoken to; and **aquêle** corresponds to the third person in that it refers to something (or someone) near the person or thing spoken of.

The accented **e** is close in all the masculine forms, while it is open in all the feminine forms.

These words are used as adjectives and as pronouns. When used as adjectives they agree in gender and number with the noun they modify. When used as pronouns they agree in gender and number with the noun they stand for.

| | | | |
|---|---|---|---|
| **êste livro** | *this book* | **êste** | *this one* (i.e., book) |
| **estas mesas** | *these tables* | **estas** | *these* (i.e., tables) |

**Êste** and **aquêle** also mean the *latter* and the *former* respectively.

**João e José são irmãos; êste** *John and Joseph are brothers; the*
**é alto e aquêle é baixo.** *former is short and the latter is tall.*

## 24. Neuter demonstrative pronouns.

| | |
|---|---|
| įsto | *this* |
| įsso | *that* (near person spoken to) |
| aquįlo | *that* (near person or thing spoken of) |

These forms are used only as pronouns. They do not stand for nouns but in an indeterminate way for previous statements or propositions.

**Isso é certo.**          *That is true.*

## 25. Demonstrative adjectives and pronouns (continued).
The forms listed in sections 23 and 24 combine with the prepositions **de** and **em** as follows.

| | | |
|---|---|---|
| dêste | dęsta | |
| dêstes | dęstas | dįsto |
| | | |
| dêsse | dęssa | |
| dêsses | dęssas | dįsso |
| | | |
| daquêle | daquęla | |
| daquêles | daquęlas | daquįlo |
| | | |
| nêste | nęsta | |
| nêstes | nęstas | nįsto |
| | | |
| nêsse | nęssa | |
| nêsses | nęssas | nįsso |
| | | |
| naquêle | naquęla | |
| naquêles | naquęlas | naquįlo |

## 26. Indefinite article (continued).
The forms of the indefinite article combine sometimes with the preposition **em** as follows.

**em + um: num**          **em + uma: numa**

## 27. Cardinal numerals from 1 to 20.

| | | | | | |
|---|---|---|---|---|---|
| 1 | um, uma | 8 | oito | 15 | quinze |
| 2 | dois, duas | 9 | nove | 16 | dezesseis |
| 3 | três | 10 | dez | 17 | dezessete |
| 4 | quatro | 11 | onze | 18 | dezoito |
| 5 | cinco | 12 | doze | 19 | dezenove |
| 6 | seis | 13 | treze | 20 | vinte |
| 7 | sete | 14 | quatorze | | |

In the compounds **dezesseis, dezessete, dezoito,** and **dezenove,** the **e** of **dez** is pronounced like Portuguese **i** (i.e., like *i* in *machine*). And in the compounds **dezesseis, dezessete,** and **dezenove,** the conjunction **e** is pronounced like Portuguese close **e** (i.e., like *e* in *they*).

These numerals are invariable except **um** and **dois,** which have feminine forms.

## VOCABULARY

**a** to
**aí** there (*near the person spoken to*)
**alí** there (*near the person or thing spoken of*)
**amanhã** tomorrow
**brincar** to play
a **classe** the class (group of students)
**contar** to count; to intend, expect
o **dia** the day
a **estação** the season
**Que tempo faz?** or **Como está o tempo?** How is the weather?
**Faz bom tempo.** It (*the weather*) is fine.
**Faz mau tempo.** It (*the weather*) is bad
**Faz frio.** It is cold.
**Faz calor.** It is hot.
**lá fora** outside, outdoors

a **gente** the people
**geralmente** generally
**grande** large, big
**há** there is, there are
**ímpar** odd
**importante** important
o **inverno** the winter
**já** already
o **outono** the autumn
**outro -a** other, another
**par** even
**pequeno -a** little, small
**um pouco** a little
a **primavera** the spring
o **professor** the professor
**quadrado -a** square
**quantos -as?** how many?
o **quarto** the room, bedroom
**que? o que?** what?
**redondo -a** round

São Paulo São Paulo               o tempo the weather
a semana the week                 velho -a old
só only                           está ventando it is windy

## EXERCISES

**A.** *Read.* Há dez alunos na classe. Trabalham muito. Estudam o português. Um dos alunos conta de um a dez e outro já fala um pouco. Desejam passar o verão em São Paulo para aprender bem o português. Não faz calor naquela cidade; geralmente faz bom tempo no verão. O professor está morando alí nêste verão.

**B.** *Answer in Portuguese.* 1. Quantos alunos há na classe? 2. Trabalham muito? 3. O que fazem? 4. Contam em português? 5. Falam português? 6. Por que desejam passar o verão em São Paulo? 7. Faz calor em São Paulo no verão? 8. Onde o professor mora nêste verão?

**C.** *Translate the English words.* 1. *That* não é verdade. 2. *It is* mau tempo. 3. *How many* cadeiras há no quarto? 4. Há *nineteen.* 5. O número *of that* casa é quinze. 6. Há dois quartos *in that* casa. 7. A mesa está *near that* janela. 8. Há aves e flores *in those* jardins. 9. Estudo *these* lições. 10. Moramos *in this* casa. 11. A mesa *of that* rapaz é quadrada. 12. *That* é o livro de João. 13. *I intend* passar o verão em São Paulo. 14. João mora *in that* hotel. 15. *It is* muito frio. 16. *There are* dez lições no livro.

**D.** *Translate.* 1. Os quartos daquela casa são grandes. 2. Os rapazes brincam nêste jardim. 3. Geralmente passamos o verão nessa casa pequena. 4. Ficamos em casa porque faz muito calor lá fora. 5. Êste hotel está cheio de gente. 6. Moramos naquela casa. 7. Esta língua é difícil. 8. Quantas pessoas falam português aquí? 9. Só uma pessoa, aquela senhora portuguêsa. 10. O que faz o senhor? 11. Estudo esta lição de português. 12. O que fazem os senhores? 13. Trabalhamos nesta cidade. 14. O que fazem aquêles rapazes com aquêle livro velho? 15. Estudam a lição de português para amanhã. 16. Que tempo está fazendo hoje? 17. Está fazendo mau tempo e está ventando. 18. Por que o senhor fica em casa? 19. Fico em casa porque faz muito frio lá fora. 20. Como está o tempo no verão? 21. Geralmente faz muito calor.

**E.** *Translate.* 1. Que tempo faz hoje? 2. Hoje faz mau tempo. 3. Que tempo faz no inverno? 4. Geralmente faz frio no inverno. 5. Os números pares de um a vinte são: dois, quatro, seis, oito, dez, doze, quatorze, dezesseis, dezoito, e vinte. 6. Os números ímpares de um a vinte são: um, três, cinco, sete, nove, onze, treze, quinze, dezessete, e dezenove. 7. Há duas janelas nêste quarto. 8. Conto passar o inverno nêste pequeno hotel. 9. Quantos jornais há nesta cidade? 10. Há dois bons jornais nesta cidade. 11. Aquela mesa é redonda. 12. Isso não é preciso. 13. Esta casa é muito grande mas aquela é pequena. 14. Esta mesa é quadrada mas essa é redonda. 15. Isso é importante. 16. Moro aquí nesta casa. 17. O senhor mora aí nessa casa. 18. João mora alí naquela casa. 19. Quantos dias há em uma semana? 20. Há sete dias em uma semana. 21. Quantas estações há no ano? 22. Há quatro estações no ano; são a primavera, o verão, o outono, e o inverno. 23. Contamos passar a primavera naquela velha cidade. 24. As janelas desta casa são grandes. 25. O amigo conta passar o verão no Rio.

**F.** *Translate.* 1. What is John doing? 2. He is studying Portuguese. 3. How is the weather? 4. The weather is fine. 5. What do you do in the winter? 6. I generally spend the winter in São Paulo. 7. How many lessons are there in this book? 8. There are twenty lessons in that book. 9. There are fourteen windows in that house. 10. I expect to spend the autumn in that hotel. 11. That is not very important. 12. These men are still young but those are very old. 13. This book is large but that one is small. 14. The brother of that gentleman is old. 15. This window is round but that one is square. 16. It is cold outside today. 17. I count from one to twelve: one, two, three, four, five, six, seven, eight, nine, ten, eleven, twelve. 18. How many seasons are there in a year? 19. There are four seasons in a year and these seasons are spring, summer, autumn, and winter. 20. There are sixteen lessons in that book. 21. It is windy today. 22. The girls are playing in the garden.    23. He expects to spend the winter in Rio.    24. That room is square.    25. I generally spend the day outside.    26. Do you know the even numbers from one to twenty?    27. Yes, and I know the odd ones too.    28. I am studying this lesson for tomorrow. 29. This garden is round.    30. That table is long and narrow. 31. The girls are playing in that garden.    32. Six and seven are numbers; the former is an even number and the latter is an odd number.

# Lesson VII

### 28. Present indicative of *ir* *to go*.

vou         vamos

(vais)       (ides)

vai          vão

### 29. Special uses of *ir* and *acabar de*.

The verb **ir,** followed by an infinitive, may be used to express future action or state. The English equivalent is the progressive form of *to go*.

    **Vou estudar a minha lição.**      *I am going to study my lesson.*

The present tense of **acabar de,** followed by an infinitive, may be used to express action in the recent past.[1] The English equivalent is *to have just*.

    **Acabo de estudar a minha lição.**    *I have just studied my lesson.*

### 30. Possessive adjectives and pronouns.

| MASC. | | FEM. |
|---|---|---|
| o meu | *my, mine* | a minha |
| os meus | | as minhas |
| (o teu) | *thy, thine* | (a tua) |
| (os teus) | | (as tuas) |
| o seu | *his, her(s), your(s)* | a sua |
| os seus | | as suas |
| o nosso | *our(s)* | a nossa |
| os nossos | | as nossas |
| (o vosso) | *your(s)* | (a vossa) |
| (os vossos) | | (as vossas) |
| o seu | *their(s), your(s)* | a sua |
| os seus | | as suas |

[1] The preterit of **acabar de** may be used with the same time reference, e.g., **Acabei de estudar a minha lição** *I have just studied my lesson.*

38

These forms are used as adjectives and as pronouns. They agree in gender and number with the thing possessed, not with the possessor. Thus, in **o meu lapis e a minha pena** *my pencil and pen,* the possessor is the same person but **meu** is masculine because the thing possessed is masculine and **minha** is feminine because the thing possessed is feminine. Accordingly, **seu** may mean *his* or *her* and **sua** may mean *his* or *her,* **seu** being used when the thing possessed is masculine and **sua** when the thing possessed is feminine.

| | |
|---|---|
| **o seu lapis** | *his* or *her pencil* |
| **a sua pena** | *his* or *her pen* |

a) Just as the third person forms of the verb are used for the second person forms (see section 15), so the third person forms of the possessive adjective and pronoun are used for the second person forms. Therefore, the forms of **seu** may mean *your* (adjective) and *yours* (pronoun).

b) All these forms are commonly used without the definite article. And in certain cases the article must be omitted, notably

1. In direct address:

**Venha cá, meu amigo!**          *Come here, my friend!*

2. In the predicate after forms of **ser,** except for an expressed distinction of possessors:

| | | |
|---|---|---|
| | **O livro é meu.** | *The book is mine.* |
| But | **O livro é o meu, não é o seu.** | *The book is mine, it is not his.* |

c) Possessive adjectives are used much less in Portuguese than in English whenever possession is clear without them, particularly with parts of the body and articles of clothing.

| | |
|---|---|
| **O que tem na mão?** | *What do you have in your hand?* |
| **Vou tirar o chapéu.** | *I am going to take my hat off.* |

**31. Special use of *ser*.** The verb **ser** followed by **de** is used to express possession and origin.

| | |
|---|---|
| Êste lapis é de João. | *This pencil is John's.* |
| Sou do Brasil. | *I am from Brazil.* |

**32. Definite article (continued).** The forms of the definite article combine with the preposition **a** as follows.

| | | | | |
|---|---|---|---|---|
| a + o: | ao | | a + os: | aos |
| a + a: | à | | a + as: | às |

**33. Movement to or towards.** Movement to or towards a place is generally indicated by the preposition **para**. But after **ir** *to go* and **vir** *to come*, both **a** and **para** are used, **a** for brief stay, **para** for more definite and continued destination.

| | |
|---|---|
| Parto amanhã para Lisboa. | *I leave tomorrow for Lisbon.* |
| Vou ao teatro esta tarde. | *I am going to the theater this afternoon.* |
| João vai para casa. | *John is going home.* |

## VOCABULARY

acabar to end, terminate, finish
alugar to rent
o amigo the friend
a biblioteca the library
brasileiro -a Brazilian
a caneta the pen, the penholder
o chapéu the hat
os Estados Unidos the United States
fazer compras to shop
ir fazer compras to go shopping
ir para casa to go home
a mãe the mother

a medicina the medicine
de onde? from where?
o par the pair
para onde? where? (i.e., whither?)
Portugal [1]
procurar to look for, seek
de quem? whose?
o sapato the shoe
muito tempo a long time
tirar to take off
o trabalho the work
vago unoccupied, not taken

[1] The definite article is used with names of countries. The word **Portugal** is an exception.

EXERCISES

**A.** *Read.* O meu amigo brasileiro acaba de chegar aos Estados Unidos. Amanhã vamos fazer compras. Vamos procurar um chapéu e um par de sapatos. E vamos procurar também um quarto vago. O amigo deseja alugar un quarto porque vai ficar muito tempo nesta cidade. Vai estudar medicina.

**B.** *Answer in Portuguese.* 1. De onde é o seu amigo? 2. De onde acaba de chegar? 3. O que vão fazer amanhã? 4. O que vão procurar? 5. O amigo vai comprar sapatos? 6. Vai comprar um quarto? 7. Por que o amigo deseja um quarto vago? 8. O que vai fazer o amigo nesta cidade?

**C.** *Translate the English words.* 1. *I have just* chegar do Rio de Janeiro. 2. *Your* lições são difíceis. 3. *My* mãe vai fazer compras. 4. *He is* de Portugal. 5. *Where* você vai? 6. Vou *to the* teatro. 7. Procuro *my* sapatos. 8. Êste lapis é *mine*, não é *yours*. 9. *Whose* é esta caneta? 10. É *hers*. 11. Vamos *home*. 12. *I am going* estudar esta lição. 13. *Their* casa é muito perto. 14. Para onde *are you going?* 15. *I am going* fazer compras. 16. *I have just* aprender a lição. 17. Estudo *my* lições. 18. *Your* amigo trabalha muito. 19. Fica *in his* hotel. 20. Êstes chapéus são *ours*. 21. Moro *in your* casa. 22. *We are* do Brasil. 23. Fico *home*.

**D.** *Translate.* 1. A senhora vai comprar uma casa? 2. Sim, senhor, vou comprar uma casa. 3. Acabamos de estudar a nossa lição. 4. O meu amigo brasileiro vai estudar o inglês. 5. De onde são vocês? 6. Somos do Brasil. 7. João vai ao teatro. 8. José vai alugar um quarto em nossa casa. 9. Meu amigo estuda medicina em São Paulo. 10. Acabo a minha lição. 11. Êste chapéu é meu. 12. Aquela caneta é sua. 13. João e Maria vão para casa. 14. Para onde vai você? 15. Vou para casa. 16. O senhor vai estudar a sua lição? 17. Sim, senhor, vou estudar a minha lição. 18. Os meus amigos vão passar o verão em São Paulo. 19. De quem são êstes livros? 20. Êstes livros são nossos. 21. De quem é esta caneta? 22. Esta caneta é minha. 23. O meu amigo e o seu vão para Nova York. 24. Para onde vai sua mãe? 25. Minha mãe vai fazer compras. 26. Acabam de partir. 27. Acabamos o nosso trabalho. 28. João mora em minha casa. 29. Vai ficar no seu hotel.

**E.** *Translate.* 1. Vou ficar muito tempo em Lisboa. 2. Minha irmã vai chegar ao Rio amanhã. 3. A sua biblioteca está cheia de livros. 4. De quem são êstes sapatos? 5. São meus. 6. Maria passa muito tempo estudando. 7. Vão para a biblioteca. 8. Sua mãe mora na casa vizinha. 9. Tiramos o chapéu. 10. Esta caneta é de seu irmão. 11. Acabamos de falar com um brasileiro. 12. Não há quartos vagos nesta casa. 13. Para onde vai sua mãe? 14. Vai à biblioteca procurar um livro. 15. Acaba de comprar um par de sapatos. 16. João estuda a sua lição. 17. Maria estuda a sua lição. 18. Vou para Nova York amanhã. 19. O que o senhor procura? 20. Procuro um hotel nesta rua. 21. Desejo alugar uma casa nesta cidade. 22. Maria está em casa. 23. João vai para casa. 23. Acaba de tirar o chapéu. 24. Procuro meu irmão. 25. Vou tirar os sapatos. 26. Esta caneta é minha e aquela é sua. 27. Esta caneta é a minha, não é a sua. 28. De onde é o senhor? 29. Sou dos Estados Unidos. 30. João é de Portugal. 31. Maria é do Brasil.

**F.** *Translate.* 1. My house is near the library. 2. They live in our house. 3. We have just spoken with the professor. 4. He is finishing his work. 5. She is shopping now. 6. They are going shopping tomorrow. 7. He is going to study his lesson. 8. I am going to take my shoes off. 9. He spends much time at the library. 10. Our friends speak Portuguese well. 11. Whose book is that? 12. It is my brother's. 13. Where are they from? 14. They are from the United States. 15. These pencils are ours. 16. They are going home. 17. I am going to the library. 18. He has just taken his hat off. 19. She is looking for her hat. 20. My friends finish their work. 21. They are going shopping in this street. 22. We intend to rent a house in this city. 23. Whose book is this? 24. It is your book. 25. Where are you going? 26. I am going to the library. 27. We are going to study our lessons tomorrow. 28. Where are you (pl.) from? 29. We are from Brazil. 30. Whose houses are these? 31. They are ours.

# Lesson VIII

**34. Present indicative of *dar* to give.**

| | |
|---|---|
| dọu | dạmos |
| (dás) | (dạis) |
| dá | dão |

**35. Personal pronouns.  Forms used as subject.**

| | | | |
|---|---|---|---|
| ẹu | *I* | nós | *we* |
| (tụ) | *thou* | (vós) | *you* |
| êle | *he, it* | êles | *they* m. |
| ẹla | *she, it* | ẹlas | *they* f. |

These pronouns are used for emphasis, contrast, and clarity (i.e., to avoid ambiguity).

| | |
|---|---|
| Eu estudo muito. | *I study hard.* |
| Êle vai para Nova York mas ela fica aquí. | *He is going to New York, but she is staying here.* |

a) The second person forms are not used in conversational Portuguese.  They are replaced by forms of **o senhor** and **você**.  See section 15.

**36. Telling time.**

| | |
|---|---|
| Que horas são? | *What time is it?* |
| É uma (hora). | *It is one o'clock.* |
| São duas (horas). | *It is two o'clock.* |
| São três (horas) e dez (minutos). | *It is ten minutes past three o'clock.* |
| São três (horas) menos dez (minutos). | *It is ten minutes to three.* |
| Faltam deᵉ (minutos) para as três (horas). | *It is ten minutes to three.* |

43

| | |
|---|---|
| São quatro (horas) e um quarto. | *It is a quarter past four.* |
| São cinco (horas) e meia. | *It is half past five.* |
| É meio-dia. | *It is twelve o'clock noon.* |
| É meia-noite. | *It is twelve o'clock midnight.* |
| São dez em ponto. | *It is exactly ten o'clock.* |
| A que horas . . . ? | *At what time . . . ?* |
| À uma (hora). | *At one o'clock.* |
| Às duas (horas). | *At two o'clock.* |
| Ao meio-dia. | *At noon (at twelve o'clock noon).* |
| À meia-noite. | *At midnight (at twelve o'clock midnight).* |

The words in parentheses may be omitted without changing the meaning.

In railroad schedules and in radio, theater, and motion-picture announcements, the cardinal numerals from 13 to 24 are used to designate the hours from 1 P.M. to 12 midnight.

| | |
|---|---|
| Às quinze horas e meia. | *At half past three (in the afternoon).* |

## 37. Names of the days of the week.

| | | | |
|---|---|---|---|
| domingo | *Sunday* | quarta-feira | *Wednesday* |
| segunda-feira | *Monday* | quinta-feira | *Thursday* |
| têrça-feira | *Tuesday* | sexta-feira | *Friday* |
| | | sábado | *Saturday* |

The word **feira** is often omitted. **Sábado** and **domingo** are masculine, and the rest of these words are feminine.

## 38. *Que?* and *qual? what?* Standing in questions before forms of the verb *to be*, *what* is translated by **que** (or **o que**) if a definition is asked for, otherwise by **qual** (pl. **quais**). Standing before a noun, *what* is translated by **que**.

| | |
|---|---|
| Que é a capital dum país? | *What is the capital of a country?* |
| Qual é a capital de Portugal? | *What is the capital of Portugal?* |
| Que capital é perto daquí? | *What capital is near here?* |

## VOCABULARY

o **abacaxí** the pineapple
**até** until
a **aula** the class (room, lesson)
a **avenida** the avenue
o **cinema** the motion picture
**começar** to begin
**como** as
a **confeitaria** the candy store
**conversar** to converse
**dar** to give; to strike
**dar para** to overlook, to face
**dar um passeio** to take a walk
**depois** (*adv.*) afterwards; **depois de** (*prep.*) after
**dias úteis** workdays
o **dinheiro** the money
**durante** during, for

**encontrar** to meet, to run into
**então** then
a **escola** the school
a **hora** the hour; time, o'clock
**são horas de** it is time to
**lembrar** to remind
**menos** less
o **morango** the strawberry
o **parque** the park
**quando** when
**seguinte** following
o **sorvete** the ice cream
**terminar** to end
**tomar** to take
o **trem** the train
**voltar** to return

## EXERCISES

**A.** *Read.* Hoje é segunda-feira. João acaba de encontrar sua irmã na avenida. Êle deseja ir ao teatro mas ela deseja ir ao cinema. Como está fazendo calor, dão um passeio no parque. Então vão ao cinema. Depois do cinema tomam sorvete na confeitaria. João toma sorvete de abacaxí e a irmã sorvete de morangos. Encontram muitos amigos na confeitaria e conversam durante muito tempo. João lembra a irmã que são horas de voltar para casa para preparar as suas lições para o dia seguinte. Já são onze e estudam até à meia--noite.

**B.** *Answer in Portuguese.* 1. Quem João acaba de encontrar na avenida? 2. O que João deseja fazer? 3. O que a irmã deseja fazer? 4. Como está o tempo? 5. Onde dão um passeio? 6. Para onde vão então? 7. Para onde vão depois do cinema? 8. O que fazem na confeitaria? 9. Quem encontram alí? 10. Passam muito tempo alí? 11. Por que voltam para casa? 12. A que horas começam a estudar? 13. Que horas são quando terminam as suas lições?

**C.** *Translate the English words.* 1. *He* dá um passeio mas *I* fico em casa. 2. Estas janelas *face* a avenida. 3. *What* é o nome do seu amigo? 4. *What* trem parte às oito? 5. Em *what* avenida mora seu irmão? 6. *It is* três menos cinco. 7. Nós *are taking* um passeio na avenida. 8. Não há aula de português nas *Tuesdays* e *Thursdays*. 9. O trem de Lisboa parte *at half past nine*. 10. Faltam vinte minutos *to five*.

**D.** *Translate.* 1. Vou dar meu livro ao rapaz. 2. Elas dão seus livros à escola. 3. Dou dinheiro aos meus amigos. 4. Nós damos pão aos soldados. 5. Esta janela dá para o jardim. 6. As janelas desta casa dão para a avenida. 7. Acabamos de encontrar o nosso amigo na rua. 8. Eu dou um passeio no jardim. 9. Ela dá um passeio na avenida. 10. Dão quatro horas. 11. Quando você parte para a escola? 12. Parto às sete e meia para a escola.

**E.** *Translate.* 1. Que horas são? 2. São duas horas e cinco. 3. A que horas o trem parte? 4. O trem parte às dezesseis menos dez minutos. 5. O cinema começa às vinte e meia. 6. As aulas terminam às duas e um quarto. 7. Há cinema nas segundas, quartas, e sextas. 8. Não vou trabalhar no sábado. 9. Que dia da semana é hoje? 10. É domingo.

**F.** *Translate.* 1. Quais são os nomes dos dias da semana? 2. São domingo, segunda-feira, têrça-feira, quarta-feira, quinta-feira, sexta--feira, e sábado. 3. Qual é o número de alunos na classe? 4. O número de alunos é quatorze. 5. Que língua êle fala? 6. Fala a língua portuguêsa. 7. Qual é a língua do Brasil? 8. É a língua portuguêsa. 9. Em que rua o seu amigo mora? 10. O meu amigo mora na rua Paissandú. 11. Quais são os dias úteis? 12. Os dias úteis são a segunda, a têrça, a quarta, a quinta, a sexta, o o sábado.

**G.** *Translate.* 1. He gives his money to his friends. 2. That window faces the street. 3. I just ran into John. 4. We are taking a walk in the garden. 5. It is striking five. 6. What time is it? 7. It is a quarter to ten. 8. School begins at half past eight. 9. There is no school on (**aos**) Saturdays. 10. Today is Friday. 11. In what street do you live? 12. I live on Paissandú Street.

13. He is going to study his lesson on (**no**) Sunday.  14. Tuesday and Wednesday are workdays.  15. When does the train leave? 16. It leaves at a quarter past eleven.  17. They are going to the candy store.  18. I am going to remind my brother that it is time to return home.  19. It is five thirty and she has just arrived. 20. He always takes strawberry ice cream.  21. The movie begins at eight fifteen.  22. What day is today?  23. Today is Wednesday. 24. It is exactly one o'clock.  25. What is the name of that street? 26. It is not a street, it is an avenue.  27. What is Portuguese? 28. It is the language of Portugal and Brazil.

# Lesson IX

**39. Present indicative of** *dizer* to say, tell **and** *ter* to have, possess.

| | |
|---|---|
| digo | tenho |
| (dizes) | (tens) |
| diz | tem |
| dizemos | temos |
| (dizeis) | (tendes) |
| dizem | têm |

**40. Preterit indicative.** 1. Of regular verbs. In the preterit indicative of regular verbs, the accent falls on the endings and the dominant vowel of the endings is the same as the vowel of the ending of the infinitive.

| falar | aprender | partir |
|---|---|---|
| SINGULAR | SINGULAR | SINGULAR |
| 1. fal-ei | aprend-í | part-í |
| 2. (fal-aste) | (aprend-este) | (part-iste) |
| 3. fal-ou | aprend-eu | part-iu |
| PLURAL | PLURAL | PLURAL |
| 1. fal-amos | aprend-emos | part-imos |
| 2. (fal-astes) | (aprend-estes) | (part-istes) |
| 3. fal-aram | aprend-eram | part-iram |

2. Of irregular verbs. Most irregular verbs have preterits which are irregular (1) because they are accented on the root (instead of the ending) in the first and third singular forms, (2) because the dominant vowel of the ending is **e,** and (3) because they have a stem which is different from the stem of the infinitive.

| dizer | fazer | estar | ter |
|---|---|---|---|
| SINGULAR | SINGULAR | SINGULAR | SINGULAR |
| 1. disse | fiz | estive | tive |
| 2. (disseste) | (fizeste) | (estiveste) | (tiveste) |
| 3. disse | fêz | esteve | teve |

48

| PLURAL | PLURAL | PLURAL | PLURAL |
|--------|--------|--------|--------|
| 1. dissemos | fizemos | estivemos | tivemos |
| 2. (dissestes) | (fizestes) | (estivestes) | (tivestes) |
| 3. disseram | fizeram | estiveram | tiveram |

a) The preterits of **dar, ir,** and **ser** are otherwise irregular. And those of **ir** and **ser** are identical.

|  dar  |  ir  |  ser  |
|-------|------|-------|
| SINGULAR | SINGULAR | SINGULAR |
| 1. dei | fui | fui |
| 2. (deste) | (foste) | (foste) |
| 3. deu | foi | foi |
| PLURAL | PLURAL | PLURAL |
| 1. demos | fomos | fomos |
| 2. (destes) | (fostes) | (fostes) |
| 3. deram | foram | foram |

**41. Use of preterit indicative.** The preterit indicative is used to express simple action or state in the past, that is, action or state without reference to repetition or continuity. The time referred to is past from the point of view of the present, but it may be close to the present or remotely past. It is the tense of simple narration in the past.

**Falei hoje com seu amigo.**  *I spoke with your friend today.*
**Aprendí o inglês em minha mocidade.**  *I learned English in my youth.*

This tense performs most of the functions of both the preterit and the perfect in Spanish.

**42. Names of the months.**

| | | | |
|----------|-----------|----------|-----------|
| janeiro | *January* | julho | *July* |
| fevereiro | *February* | agôsto | *August* |
| março | *March* | setembro | *September* |
| abril | *April* | outubro | *October* |
| maio | *May* | novembro | *November* |
| junho | *June* | dezembro | *December* |

The days of the month are designated by the cardinal numerals (section 27) except that the *first* is designated by the ordinal **primeiro**. And the definite article is not used with these numerals except in the expression **o dia** + numeral.

| | |
|---|---|
| primeiro de fevereiro (o dia<br>  primeiro de fevereiro) | *the first of February* |
| cinco de julho | *the fifth of July* |
| o dia cinco de julho | *the fifth of July* |

English *on* with these expressions is translated by the preposition **em** or **a**.

em primeiro de fevereiro ⎫
no dia primeiro de fevereiro ⎬    *on the first of February*

em cinco de julho ⎫
a cinco de julho ⎬    *on the fifth of July*
no dia cinco de julho ⎭

## VOCABULARY

apenas only
belo -a fine, beautiful
a casa de to the house of
a coleção the collection
dar com to encounter, to run into
escrever to write
estar com fome to be hungry
estar com sêde to be thirsty
estar com vontade to have a notion to, to wish to, to be anxious to
examinar to examine
fazer a chamada to call the roll
há ago
a literatura the literature
a manhã the morning
a mão the hand
muito -a much; muitos -as many

a noite the night, the evening
ontem yesterday
ontem à noite last night, last evening
a oportunidade the opportunity
passado -a last
a peça de teatro the play
pensar (em) to think (of)
a poesia the poetry, the poem
raro -a rare
o romance the novel
o sêlo the stamp
a tarde the afternoon, the evening
ter (muita) fome to be (very) hungry
ter sêde to be thirsty
ter calor to be warm, be hot
ter sono to be sleepy

**tẹr saüdạdes de** to long for, to be homesick for, to miss

**tẹr vontạde de** to have a notion to, wish to, be anxious to

**tẹr de** *or* **tẹr que** + *infinitive* to have to

**tẹr** + *noun* + **para** to have . . . to

**tẹr tẹmpo para** to have the time to

**tẹr . . . ạnos** to be . . . years old

**Quạntos ạnos tẹm . . . ?** How old is . . . ?

**trịnta** thirty

**a verdạde** the truth

**a visịta** the visit

## EXERCISES

**A.** *Read.* As aulas terminaram a semana passada no dia cinco de junho. Já começaram as grandes férias. Ontem à noite fomos a casa do professor. Êle falou do seu trabalho e tivemos a oportunidade de examinar os seus livros. Tem uma grande biblioteca com muitos livros da literatura brasileira, como os romances de Machado de Assís, as poesias de Olavo Bilac,[1] e as peças de teatro de Joracy Camargo. O professor também tem uma bela coleção de selos. Êle deu dois selos raros a João. Depois da visita voltamos para casa. Hoje não pensamos em livros nem em selos; pensamos apenas nas grandes férias.

**B.** *Answer in Portuguese.* 1. Quando as aulas terminaram? 2. Quando as grandes férias começaram? 3. Para onde vocês foram ontem à noite? 4. De que o professor falou? 5. O professor tem muitos livros? 6. Tem muitos livros brasileiros? 7. O que Machado de Assís escreveu? 8. O que Olavo Bilac escreveu? 9. O que Joracy Camargo escreveu? 10. O professor tem muitos selos? 11. A quem o professor deu selos? 12. Quantos selos deu a João? 13. Você pensa em livros hoje? 14. João pensa em selos hoje? 15. Em que vocês pensam?

**C.** *Translate the English words.* 1. Partimos *on the tenth of* agôsto. 2 *We told* a verdade. 3. O professor *called the roll* às dez. 4. *We went* a Nova York na semana passada. 5. *He had* muito trabalho *to* fazer. 6. *I ran into* seu irmão na avenida hoje. 7. *We*

---

[1] Final **c,** which occurs in only a few proper nouns, is pronounced like *k* followed by the sound of *y* in *pretty*. **Bilac,** therefore, sounds [**bilâky**].

*worked* naquela cidade o ano passado. 8. *It is* frio aquí no inverno.
9. *I am* muito frio mas João *is* calor. 10. *They learned* a falar
português em Lisboa. 11. *They have to* estudar sua lição. 12. João
*misses* seus irmãos.

**D.** *Translate.* 1. Êle diz a verdade aos amigos. 2. Eu digo a
verdade a todo o mundo. 3. O senhor diz sempre isso. 4. O que o
senhor tem na mão? 5. Tenho os meus livros na mão. 6. Tenho
vontade de ir a Nova York. 7. Quantos anos o seu irmão tem?
8. Tem dezenove anos. 9. Temos muitas lições para estudar.
10. Estou com vontade de dar um passeio. 11. Êle tem sêde.
12. Nós estamos com muita fome. 13. Êles têm muito trabalho
para fazer. 14. Tenho muito calor. 15. Não tenho tempo para ir
ao teatro esta noite. 16. Tenho saüdades dos meus amigos no Rio.

**E.** *Translate.* 1. Onde o senhor esteve a semana passada? 2.
Estive em Lisboa a semana passada. 3. João foi ao Rio o ano
passado. 4. Estudou êle a sua lição esta manhã? 5. Estudou,
sim, senhor. 6. Tive a oportunidade de ir ao teatro ontem à noite.
7. Moramos em Filadélfia há muito tempo. 8. Trabalharam nesta
casa hoje. 9. O professor fêz a chamada às oito e meia. 10. Dei
um passeio no jardim esta manhã. 11. Dei com o nosso amigo na
rua esta tarde. 12. O trem partiu às nove da manhã. 13. Aprenderam o português há dois anos. 14. Ontem foi quinta-feira.

**F.** *Translate.* 1. Quantos meses há no ano? 2. Há doze meses
no ano. 3. Quais são os meses da primavera? 4. Os meses da primavera no Brasil são setembro, outubro, e novembro. 5. Quantos
dias há no mês de setembro? 6. Há trinta dias no mês de setembro.
7. Que dia do mês é hoje? 8. Hoje é dois de outubro. 9. E ontem,
que dia do mês foi? 10. Ontem foi primeiro. 11. Há apenas vinte
e oito dias no mês de fevereiro.

**G.** *Translate.* 1. They had a notion to take a walk last night.
2. Did you study your lesson today? 3. Yes, sir, I studied (it).
4. They had to go to school today. 5. We are always hungry.
6. How old is your brother? 7. My brother is twenty years old.
8. I was still sleepy this morning. 9. What day of the month is

today?   10. Today is the ninth.   11. I call the roll every morning at a quarter past nine.   12. There are only ten pupils in the class. 13. We went to New York yesterday.   14. What are the months of summer in Brazil?   15. The months of summer are December, January, and February.   16. We are homesick for our house in New York.   17. I learned Portuguese in Brazil.   18. He called the roll at a quarter to nine.   19. I spoke to John at the movie.   20. We did not have time to speak to the professor.

# Lesson X

**43. Present and preterit indicative of *poder* to be able, can and *ver* to see.**

PRESENT

| | |
|---|---|
| pọsso | vẹjo |
| (pọdes) | (vês) |
| pọde | vê |
| podẹmos | vẹmos |
| (podẹis) | (vêdes) |
| pọdem | vêem |

PRETERIT

| | |
|---|---|
| pựde | vị |
| (pudẹste) | (vịste) |
| pôde | vịu |
| pudẹmos | vịmos |
| (pudẹstes) | (vịstes) |
| pudẹram | vịram |

**44. Radical-changing nouns.** Many nouns with radical close o and final o form their plural by changing the close o to open o besides the regular addition of -s.

| SINGULAR | PLURAL |
|---|---|
| fọgo | fọgos |
| pọvo | pọvos |

a) Exceptions which occur in this book: **glọbo, glọbos** and **tôpo, tôpos.**

**45. Radical-changing adjectives.** Many adjectives with radical close o and final o form their masculine plural and their feminine singular and plural by changing the close o to open o besides the regular changes in ending.

54

| Masculine | | Feminine | |
|---|---|---|---|
| novo | novos | nova | novas |
| formoso | formosos | formosa | formosas |

a) A noteworthy exception is **todo,** which has close **o** in all its forms: todo, tôda, todos, tôdas.

## 46. Cardinal numerals (continued from section 27).

| | | | |
|---|---|---|---|
| 21 | vinte e um (uma) | 101 | cento e um (uma) |
| 22 | vinte e dois (duas) | 102 | cento e dois (duas) |
| 23 | vinte e três | 103 | cento e três |
| 24 | vinte e quatro | 199 | cento e noventa e nove |
| 25 | vinte e cinco | 200 | duzentos, -as |
| 26 | vinte e seis | 201 | duzentos e um (uma) |
| 27 | vinte e sete | 300 | trezentos, -as |
| 28 | vinte e oito | 400 | quatrocentos, -as |
| 29 | vinte e nove | 500 | quinhentos, -as |
| 30 | trinta | 600 | seiscentos, -as |
| 31 | trinta e um (uma) | 700 | setecentos, -as |
| 32 | trinta e dois (duas) | 800 | oitocentos, -as |
| 40 | quarenta | 900 | novecentos, -as |
| 41 | quarenta e um (uma) | 1,000 | mil |
| 50 | cinqüenta | 1,001 | mil e um (uma) |
| 60 | sessenta | 2,000 | dois mil |
| 70 | setenta | 3,000 | três mil |
| 80 | oitenta | 100,000 | cem mil |
| 90 | noventa | 1,000,000 | um milhão |
| 100 | cem | 2,000,000 | dois milhões |

Note that *a hundred* and *a thousand* are expressed by **cem** and **mil** respectively without the indefinite article.

The word for *100* is **cem** but *hundred* from *101* to *199* inclusive is expressed by **cento.**

In compound numbers, **e** *and* is placed between all separately written words forming the compound except that it is not placed before **mil.**

In numbers beginning with *1,000,* **mil** is used instead of the full *hundreds.*

**mil e novecentos e quarenta e cinco**            *1945*

**47. Ordinal numerals.**

| | | | | |
|---|---|---|---|---|
| *first* | primeiro -a | *sixth* | sexto -a |
| *second* | segundo -a | *seventh* | sétimo -a |
| *third* | terceiro -a | *eighth* | oitavo -a |
| *fourth* | quarto -a | *ninth* | nono -a |
| *fifth* | quinto -a | *tenth* | décimo -a |

In the names of kings, popes, etc., the ordinals are used up to **décimo** *tenth* only. Above **décimo** the cardinals are used.

| | |
|---|---|
| **Manuel Segundo** | *Manuel II* |
| **Leão Treze** | *Leo XIII* |

## VOCABULARY

o **açúcar** the sugar
**alto -a** high, tall
a **altura** the height
**antigo -a** old, ancient
a **baía** the bay
a **capital** the capital
o **centro** the center
**chamado -a** called
a **combinação** the combination
**comercial** commercial
**comprar** to buy
**compreender** to understand
a **corcova** the hump
o **engenho** the sugar mill
a **entrada** the entrance
**fabricado -a** manufactured
**famoso, famosa** famous
a **floresta** the forest
a **forma** the form
o **globo** the globe, the world
**glorioso, gloriosa** glorious
o **habitante** the inhabitant
**imenso -a** immense
o **imperador** the emperor
a **livraria** the bookstore

a **loja** the store
**Luiz** Louis
a **luva** the glove
**magnífico -a** magnificent
**maravilhoso, maravilhosa** marvellous, wonderful
o **metro** the meter
a **montanha** the mountain
**esta noite** this evening, tonight
o **olho, os olhos** the eye
o **pão de açúcar** the sugar-loaf
a **parte** the part
**por isso** for this reason
o **pôrto, os portos** the harbor, the port
**possível** possible
a **praia** the beach, seashore
**quase** almost
**que** which, who; (*conj.*) that
o **rei** the king
a **serra** the mountain range, the mountain
**todo, tôda** all, whole, every
o **tôpo** the top
**vender** to sell

## EXERCISES

**A.** *Read.* A cidade do Rio de Janeiro tem quase três milhões de habitantes. É a capital do Brasil, o primeiro pôrto do país, e um dos grandes centros comerciais do globo.

À entrada da baía de Guanabara vemos duas grandes montanhas que são famosas em todo o mundo: o Corcovado, de setecentos e nove metros de altura, e o Pão de Açúcar, de trezentos e oitenta e cinco metros de altura. Êste tem a forma dos antigos pães de açúcar fabricados nos engenhos; aquêle tem a forma duma imensa corcova. Do tôpo destas montanhas podemos ver uma combinação magnífica de praias, serras, e florestas que não é possível ver em outra parte do mundo. Por isso compreendemos porque o Rio é chamado "a cidade maravilhosa."

**B.** *Answer in Portuguese.* 1. Qual é a capital do Brasil? 2. Quantos habitantes o Rio tem? 3. O Rio é um centro comercial? 4. Qual é o primeiro pôrto do Brasil? 5. Há outros grandes portos no Brasil? 6. O que podemos ver à entrada da baía de Guanabara? 7. São altas essas montanhas? 8. Qual é a altura do Corcovado? 9. Qual a altura do Pão de Açúcar? 10. Qual é a forma dêste? 11. Qual a forma daquêle? 12. O que podemos ver do tôpo dessas montanhas? 13. Por que o Rio é chamado "a cidade maravilhosa"?

**C.** *Translate the English words.* 1. Há *thirty* alunos nesta classe. 2. João não *could* ver o nome da rua. 3. *They saw* meu amigo ontem à noite. 4. *You saw* o cinema esta tarde. 5. Onde *can I* vender livros? 6. *You can* vender livros naquela loja. 7. Quando *can we* ir ao teatro? 8. Vocês *can* ir ao teatro esta noite. 9. Há *110,000* livros na biblioteca. 10. Eu não *see* o número da casa. 11. Aquela moça é muito *lazy*. 12. O Brasil tem muitos e bons *harbors*.

**D.** *Translate.* 1. Maria não pôde ir ao teatro porque teve de trabalhar. 2. Onde Maria trabalha? 3. Trabalha numa livraria. 4. O que é uma livraria? 5. É uma loja onde vendem livros. 6. Vendemos mil e quinhentos livros no mês passado. 7. O senhor pode ir ao teatro esta noite? 8. Não, senhor, não posso. 9. Não pudemos ver o seu amigo. 10. Vi o irmão de Maria esta manhã.

11. Vemos a irmã de João tôdas as manhãs.   12. Onde podemos comprar luvas?   13. Podem comprar luvas naquela loja.   14. João viu o meu livro nesta mesa.   15. Onde os senhores viram o meu amigo?   16. Vimos o seu amigo na Avenida Rio Branco.   17. Pôde o senhor ver o número da casa?   18. Não pude ver aquêle número.

**E.** *Translate.*   1. Pode contar de um a cem?   2. Sim, senhor, posso.   3. Quantos livros o senhor tem na sua biblioteca?   4. Tenho cento e oitenta e sete livros na minha biblioteca.   5. Quantos dias um ano tem?   6. Um ano tem trezentos e sessenta e cinco dias. 7. Quantos alunos há nesta classe?   8. Há trinta e seis alunos nesta classe.   9. Que lição estudamos hoje?   10. Estudamos a décima lição.   11. Manuel Primeiro de Portugal foi um bom rei.   12. Luiz Quatorze foi um rei glorioso.   13. Quantos livros há na livraria? 14. Há duzentos e vinte e quatro mil e trezentos livros na livraria. 15. Os olhos daquela moça são muito formosos.

**F.** *Translate.*   1. I can go to the theater this afternoon.   2. Did you see my brother at the theater?   3. Yes, I saw your brother at the theater.   4. I see your sister every morning.   5. You can buy gloves in this store.   6. The month of January has thirty-one days. 7. The month was July and the year was 1776.   8. There are five hundred and sixty books in her library.   9. Pedro II was Emperor of **(do)** Brazil.   10. The first lesson is very easy.   11. Those mountains are famous.   12. All those kings are famous.   13. That is a wonderful book.   14. They speak Portuguese in the store where I bought these gloves.   15. I cannot sell all the books.   16. They see my brother every afternoon.   17. We can count from one to a hundred in Portuguese.   18. Portugal has good harbors.   19. Mary has beautiful eyes.

# Lesson XI

## 48. Present indicative and preterit indicative of *saber* *to know, know how, learn, find out about* and *vir* *to come*.

### PRESENT

| | |
|---|---|
| sei | venho |
| (sabes) | (vens) |
| sabe | vem |
| sabemos | vimos |
| (sabeis) | (vindes) |
| sabem | vêm |

### PRETERIT

| | |
|---|---|
| soube | vim |
| (soubeste) | (vieste) |
| soube | veio |
| soubemos | viemos |
| (soubestes) | (viestes) |
| souberam | vieram |

## 49. Commands.

The command form is made by dropping the ending **-o** of the first singular present indicative and adding

**-e** (sg.) or **-em** (pl.) if the verb is an **-ar** verb;
**-a** (sg.) or **-am** (pl.) if the verb is an **-er** or an **-ir** verb.

| | | | | |
|---|---|---|---|---|
| falar | fal-o | fal-e | fal-em | *speak* |
| aprender | aprend-o | aprend-a | aprend-am | *learn* |
| partir | part-o | part-a | part-am | *leave* |
| fazer | faç-o | faç-a | faç-am | *do* |

The subject, **o senhor, você**, etc., is often expressed and placed after the verb.

**Fale o senhor mais devagar.**    *Speak more slowly.*

59

a) The command forms of four of the irregular verbs which we have had cannot be derived in this way.

| | | | | |
|---|---|---|---|---|
| dạr | dọu | dê | dêem | *give* |
| estạr | estọu | estęja | estęjam | *be* |
| sęr | sọu | sęja | sęjam | *be* |
| ịr | vọu | vá | vão | *go* |

## 50. Personal pronouns.  Forms used as object of verb.

| | | | | |
|---|---|---|---|---|
| me | *me, to* or *for me* | nos | *us, to* or *for us* |
| (te) | *thee, to* or *for thee* | (vos) | *you, to* or *for you* |
| o | *him, it, you* | os | *them, you* |
| a | *her, it, you* | as | *them, you* |
| lhe | *to* or *for him, her, it, you* | lhes | *to* or *for them, you* |

These pronouns are used only as direct or indirect objects of a verb.

In the first and second persons (sg. and pl.) the same form is used as direct and indirect object while in the third person (sg. and pl.) there are different forms for direct and indirect object.  Colloquially **lhe** and **lhes** are used as direct objects.

The third person forms may refer to **o senhor, você**, etc., and may, therefore, mean *you* or *to you* (sg. and pl.).  See section 15.

| | |
|---|---|
| **Vejo-o.** | *I see you.* |
| **Digo-lhe a verdade.** | *I tell you the truth* |

## 51. Personal pronouns.  Position of forms used as object of verb.

The pronouns listed in section 50 above sometimes precede and sometimes follow the verb.  When they follow the verb, they are attached to it with a hyphen.

1. They follow the verb in independent positive sentences (declarative, interrogative, and imperative, i.e., in commands) if no other word precedes the verb.

| | |
|---|---|
| **Vi-o esta manhã.** | *I saw him this morning.* |
| **Deram-lhe o livro?** | *Did they give him the book?* |
| **Diga-me a verdade.** | *Tell me the truth.* |

2. They precede the verb
   a) in independent negative sentences (declarative, interrogative, and imperative, i.e., in commands):

| | |
|---|---|
| **Não o vi esta manhã.** | *I did not see him this morning.* |
| **Não lhe deram o livro?** | *Did they not give him the book?* |
| **Não me diga a verdade.** | *Don't tell me the truth.* |

   b) in dependent clauses of all kinds: [1]

| | |
|---|---|
| **Sei que me diz a verdade.** | *I know that he tells me the truth.* |
| **Êste é o lugar onde o vi.** | *This is the place where I saw him.* |

   c) in independent interrogative sentences introduced by interrogative pronouns and adverbs:

| | |
|---|---|
| **Quem lhe disse isso?** | *Who told you that?* |
| **Onde os viu?** | *Where did you see them?* |

   d) in independent positive sentences (declarative and interrogative) introduced by a personal pronoun subject:

| | |
|---|---|
| **Eu o vi esta manhã.** | *I saw him this morning.* |
| **Êles lhe deram o livro?** | *Did they give him the book?* |

3. They may precede or follow the verb
   a) in independent positive sentences (declarative and interrogative) introduced by a noun subject, an indefinite or demonstrative pronoun subject, or an adverb:

| | |
|---|---|
| **O médico me fêz uma pergunta.**<br>**O médico fêz-me uma pergunta.** | *The doctor asked me a question.* |
| **Todos me dizem a mesma coisa.**<br>**Todos dizem-me a mesma coisa.** | *Everybody tells me the same thing.* |
| **Sempre me diz a verdade.**<br>**Sempre diz-me a verdade.** | *He always tells me the truth.* |

[1] In dependent negative clauses the pronoun may sometimes even precede the word **não**: **Sei que me não diz a verdade** *I know that he does not tell me the truth.*

b) in the infinitive, although it is generally preferable to place them after this form of the verb:

| | |
|---|---|
| **Vim para lhe dar o livro.** | *I came to give him the book.* |
| **Desejo dizer-lhe a verdade.** | *I wish to tell you the truth.* |

These pronouns are often omitted:

| | |
|---|---|
| **Viu o meu amigo hoje?** | *Did you see my friend today?* |
| **Sim, vi.** | *Yes, I saw him.* |

## VOCABULARY

**a-pesar-de** in spite of
**aportar** to arrive, to anchor
**assim** thus
**atento -a** attentive
**batizar** to baptize
a **bondade (de)** the kindness (to)
**cedo** early
**chamar** to call
**conhecer** to know
**depressa** fast, quickly
**descoberto -a** discovered
a **desembocadura** the mouth (of a river)
**devagar** slow, slowly
**escutar** to listen to
**fazer uma pergunta** to ask a question
**fundar** to found
a **história** the history, the story
a **igreja** the church

**julgar** to think, to believe, to deem
**mais** more
a **mentira** the lie
**não . . . nada** nothing, not anything
o **navegante** the navigator
a **notícia** the news
**perguntar** to ask, to inquire; **perguntar por** to ask for, to inquire about
**por** by, for, after
a **proteção** the protection
**responder** to answer
o **rio** the river
o **santo** the saint
**São Sebastião** Saint Sebastian
**sob** under
**suposto, suposta** supposed
**tão** so
**tarde** (*adv.*) late; **mais tarde** later

## EXERCISES

**A.** *Read.* O navegante português, André Gonçalves, aportou na Baía de Guanabara no mês de janeiro do ano de mil e quinhentos e dois. Julgou ser a baía a desembocadura de um grande rio e batizou-a com o nome de Rio de Janeiro, como quem diz: [1] rio descoberto em janeiro.

Setenta e três anos mais tarde, a cidade do Rio de Janeiro foi fundada no dia de São Sebastião. Foi batizada com o nome dêsse santo e ficou assim sob a sua proteção com o nome de São Sebastião do Rio de Janeiro. A-pesar-disso, não a conhecemos com o nome do santo. Nós a conhecemos com o nome que André Gonçalves deu ao suposto rio.

**B.** *Answer in Portuguese.* 1. Quem foi André Gonçalves? 2. Em que ano aportou na Baía de Guanabara? 3. Em que mês? 4. O que julgou ser a baía? 5. Por que deu o nome de Rio de Janeiro ao suposto rio? 6. Quando foi fundada a cidade do Rio de Janeiro? 7. Com que nome foi batizada? 8. Por que foi batizada com o nome dêsse santo? 9. Com que nome a conhecemos?

**C.** *Translate the English words.* 1. *I came* ver o seu irmão. 2. Acabo de *learn the news.* 3. *They learned* a notícia esta manhã. 4. *They came* de Portugal. 5. *He told me* a verdade. 6. *I know* o seu nome. 7. *They gave us* o dinheiro. 8. *I gave him* as suas luvas. 9. Eu *saw her* ontem no teatro. 10. *He* sempre *gives me* dinheiro. 11. *I know* que *he gave you* o livro. 12. Desejou *to see me.* 13. *Have* a bondade de dar estas luvas a sua irmã. 14. *Listen to* o professor. 15. *Be* bom para todo o mundo. 16. *Go* à loja procurar os sapatos. 17. *Give (pl.)* seus livros ao professor. 18. *Don't speak* tão depressa. 19. *Do* seu trabalho esta manhã. 20. *Learn* sua lição hoje.

**D.** *Translate.* 1. Sabe o senhor onde aquela senhora mora? 2. Não sei onde mora. 3. Os amigos vêm aquí todos os dias. 4. Veio o senhor cedo? 5. Não, senhor, vim muito tarde. 6. Sei que o senhor veio tarde. 7. De onde o seu amigo vem? 8. Vem do Brasil. 9. Os alunos vieram ontem comprar livros. 10. São alunos que desejam estudar em Nova York. 11. Os senhores sabem as lições? 12. Não, senhor, não sabemos. 13. Quando soube a notícia? 14. Soube a notícia ontem à noite.

---

[1] **como quem diz** as if to say.

**E.** *Translate.* 1. Escutem. 2. Estudem e trabalhem. 3. Estejam atentos às palavras do professor. 4. Dê um passeio tôdas as manhãs. 5. Faça a chamada às nove. 6. Fale devagar. 7. Não fale tão depressa. 8. Tenha a bondade de falar mais devagar. 9. Vá à biblioteca procurar os livros. 10. Aprendam vocês bem as suas lições. 11. Diga sempre a verdade. 12. Dêem os livros aos alunos.

**F.** *Translate.* 1. Disse-lhe de onde veio? 2. Não, senhor, não me disse de onde veio. 3. Viram os senhores meu irmão esta manhã? 4. Não, senhor, não o vimos. 5. Sabe o senhor a verdade? 6. Sim, senhor, sei-a e digo-a sempre. 7. Fala o senhor inglês? 8. Sim, senhor, eu o falo bem. 9. O que lhe disse aquêle senhor? 10. Não me disse nada. 11. Deu-lhes muito dinheiro? 12. Não nos deu nada. 13. Venha ver-me esta tarde. 14. Tenho uma pergunta para lhe fazer. 15. Eu lhe dei muito dinheiro. 16. O senhor nos deu o livro. 17. João me disse o nome de seu amigo. 18. Maria perguntou por minha irmã.

**G.** *Translate.* 1. I know where the house is. 2. Did you learn the news early? 3. Yes, I found out about it at six o'clock. 4. We came here to study Portuguese. 5. I told him the truth. 6. He always tells lies to me. 7. All the students know their lessons today. 8. We told them nothing. 9. I gave you all my books. 10. We come to this church every Sunday. 11. When did he tell you that story? 12. He told me that story yesterday. 13. He asks many questions. 14. Speak faster. 15. Call the roll more slowly. 16. Look for my books on the table. 17. Listen to Mary. 18. Tell him that I wish to speak to him. 19. She saw you yesterday. 20. They spoke to me in the theater. 21. She asked for the doctor. 22. I gave that book to you yesterday. 23. Ask for my friend at the hotel. 24. Study your lessons and learn to speak Portuguese well. 25. Tell her that I am hungry. 26. Do you speak French? 27. I speak it very poorly.

# Lesson XII

**52.** Present and preterit indicative of *pôr* *to put, place* and *ler* *to read*.

### PRESENT

| | |
|---|---|
| ponho | leio |
| (pões) | (lês) |
| põe | lê |
| pomos | lemos |
| (pondes) | (lêdes) |
| põem | lêem |

### PRETERIT

| | |
|---|---|
| pus | li |
| (puseste) | (lêste) |
| pôs | leu |
| pusemos | lemos |
| (pusestes) | (lêstes) |
| puseram | leram |

**53. Personal pronouns. Forms used as object of verb combined with each other.** If two of the pronouns (one direct object and the other indirect object) listed in section 50 in the preceding lesson are used with the same verb, the indirect object pronoun always precedes the direct, and they combine as shown in the following table.

These combinations are generally avoided in colloquial Brazilian (see section 58, 1).

| me + o: | mo | *it to me* | (te + o: | to) | *it to thee* |
|---|---|---|---|---|---|
| me + a: | ma | *it to me* | (te + a: | ta) | *it to thee* |
| me + os: | mos | *them to me* | (te + os: | tos) | *them to thee* |
| me + as: | mas | *them to me* | (te + as: | tas) | *them to thee* |
| lhe + o: | lho | *it to him, to her, to you, to them,* or *to you* (pl.) | | | |
| lhe + a: | lha | *it to him, to her, to you, to them,* or *to you* (pl.) | | | |
| lhe + os: | lhos | *them to him, to her, to you, to them,* or *to you* (pl.) | | | |

65

| lhe + as: | lhas | *them to him, to her, to you, to them,* or *to you* (pl.) | | |
|-----------|------|------|------|------|
| nos + o: | no-lo | *it to us* | (vos + o: vo-lo) | *it to you* |
| nos + a: | no-la | *it to us* | (vos + a: vo-la) | *it to you* |
| nos + os: | no-los | *them to us* | (vos + os: vo-los) | *them to you* |
| nos + as: | no-las | *them to us* | (vos + as: vo-las) | *them to you* |

| Não mos deu. | *He did not give them to me.* |
|--------------|------------------------------|
| Disse-lho. | *I told him (her, you, them) so.* |
| Quem no-lo disse? | *Who told us so?* |

a) Note that the **lh-** of **lho, lha, lhos,** and **lhas** has the value of **lhe** *to him, to her, to you* and of **lhes** *to them, to you* (pl.).

**54. Personal pronouns. Forms used as object of verb combined with verb.** 1. The third person forms **o, a, os,** and **as** listed in section 50 in the preceding lesson change to **-lo, -la, -los,** and **-las** respectively when attached to verb forms ending in **r** (all infinitives), **s** (most second singulars, all first plurals, most second plurals, and a few first and third singular preterits), and **z** (a few first and third singular preterits and a few third singular present indicatives) and the **r, s,** and **z** of the verb forms drop.

| falạr + o: | falá-lo | aprendẹr + o: | aprendê-lo |
|------------|---------|---------------|------------|
| (fạlas + o: | fạla-lo) | (aprẹndes + o: | aprẹnde-lo) |
| falạmos + o: | falạmo-lo | aprendẹmos + o: | aprendẹmo-lo |
| (falạis + o: | falại-lo) | (aprendẹis + o: | aprendẹi-lo) |

| unịr + o: | uní-lo | fạz + o: | fạ-lo |
|-----------|--------|----------|-------|
| (ụnes + o: | ụne-lo) | fịz + o: | fị-lo |
| unịmos + o: | unịmo-lo | | |
| (unís + o: | unị-lo) | | |

a) Combinations with first and third singular preterits and third singular present indicatives are always avoided in colloquial Brazilian. This may be done by using the subject pronoun. Thus, instead of **fi-lo,** say: **eu o fiz.**

2. The third person forms **o, a, os,** and **as** listed in section 50 in the preceding lesson change to **-no, -na, -nos,** and **-nas** respectively

when attached to verb forms ending in a nasal vowel (all third plurals and a few third singulars).

| | | |
|---|---|---|
| dão + o: | dão-no | *they give it* |
| falam + o: | falam-no | *they speak it* |
| aprendem + o: | aprendem-no | *they learn it* |

**55. Definite article (continued).** The forms of the definite article combine with the preposition **por** as follows.

| | | | | |
|---|---|---|---|---|
| por + o: | pelo | | por + os: | pelos |
| por + a: | pela | | por + as: | pelas |

## VOCABULARY

acontecer to happen
a admiração the admiration
agitar to agitate, to disturb
o artigo the article
o bilhete the ticket
a camisa the shirt
a ciência the science
como? how?
conquistar to win
contra against
coroar to crown
destronar to dethrone
a estante the bookcase
a Europa Europe
falecer to die
a família the family
a gaveta the drawer
o govêrno the government
a guerra the war
a ilustração the erudition
imediatamente at once, right away, immediately
imperial imperial
interno -a internal

introduzir to introduce
lá there (*more remote than* alí)
as letras the letters
liberal liberal
longo -a long (in time)
a luta the struggle
nascer to be born
ou or
o pai the father
o Paraguai Paraguay
a paz the peace
o período the period
o prato the plate
o princípio the beginning
proteger to protect
a província the province
a reforma the reform
a república the republic
a revolução the revolution
sôbre on
suceder a to succeed, to follow
vários -as several
vasto -a vast

## EXERCISES

**A.** *Read.* Pedro II, segundo imperador do Brasil, nasceu a 2 de dezembro de 1825 no Rio de Janeiro. Sucedeu ao seu pai e foi coroado em 1840. O seu govêrno foi agitado ao princípio por várias lutas internas nas províncias e pela guerra contra o Paraguai. Mas um longo período de paz veio depois dessas lutas. Pedro II conquistou a admiração dos homens de ciência pela sua vasta ilustração; protegeu as letras e as ciências e introduziu várias reformas liberais.

Foi destronado pela revolução de 1889, que proclamou a República. Teve de partir para a Europa com tôda a família imperial. E faleceu em París a 5 de dezembro de 1890.

**B.** *Answer in Portuguese.* 1. Quem foi Dom Pedro II? 2. Onde nasceu? 3. Quando nasceu? 4. Como foi o seu govêrno ao princípio? 5. Depois das guerras, o que aconteceu? 6. Como Dom Pedro conquistou a admiração dos homens? 7. Quando Dom Pedro foi destronado? 8. Quando a República foi proclamada? 9. Para onde Dom Pedro teve de partir? 10. Quando faleceu?

**C.** *Translate the English words.* 1. *They place* os livros na estante. 2. *They read* muitos livros. 3. *Read* êste jornal. 4. *Put* o prato sôbre a mesa. 5. *They placed* os jornais sôbre a mesa. 6. *I read* o seu artigo no jornal. *Translate the English words and make any changes necessary in the ending of the verb.* 7. João deu *it to us.* 8. Lemos *it* esta manhã. 9. Dei *it to him.* 10. Lêem *it* tôdas as manhãs. 11. Pusemos *them* sôbre a mesa. 12. Demos *it to them.* 13. Falam *it* bem. 14. Deu *me it.* 15. Aprendemos *it* depressa. 16. Deram *them to us.*

**D.** *Translate.* 1. Leu o jornal desta manhã? 2. Sim, senhor, li. 3. Leio todos os livros que o senhor me dá. 4. Ponho o prato sôbre a mesa. 5. Pôs o senhor os livros na estante? 6. Sim, senhor, pus. 7. Lemos muitos livros todos os anos. 8. Pusemos os livros sôbre a mesa. 9. Êles põem as camisas na gaveta. 10. Os senhores lêem todos os jornais. 11. Leia [1] êste livro. 12. Ponha [2] essas camisas na gaveta.

[1] Command form of **ler.**
[2] Command form of **pôr.**

**E.** *Translate.* 1. Deu o livro a João? 2. Sim, dei-lho. 3. Deu os lapis aos alunos? 4. Sim, dei-lhos. 5. Diz-me a verdade? 6. Sim, digo-lha. 7. Pôs os livros na estante? 8. Sim, senhor, eu os pus lá. 9. Elas dão o dinheiro a João ou a Maria? 10. Dão-no a Maria. 11. Êles deram-lhes os bilhetes? 12. Sim, senhor, deram--no-los. 13. Lêem o jornal todos os dias? 14. Sim, senhor, lemo-lo todos os dias. 15. Nós lemos o português e aquêles rapazes também o lêem. 16. Pomos os livros sôbre a mesa e êles os põem na estante.

✓ **F.** *Translate.* 1. Did you put the books in the bookcase? 2. Yes, I put them there this morning. 3. Did you give the books to your pupils? 4. Yes, I gave them to them. 5. Did he give you the money? 6. Yes, he gave it to me right away. 7. Did they put the shirts in the drawer? 8. Yes, they put them there this morning. 9. Did they tell you the truth? 10. No, they did not. 11. Did he give us his newspapers? 12. Yes, he gave them to us. 13. Read this book, and put it in the bookcase. 14. Did you read those newspapers? 15. Yes, I read them yesterday. 16. Where did you put the newspapers? 17. I put them on the table. 18. We wish to sell him a house. 19. She speaks Portuguese and I do too. 20. Ask for the book and read it at once. 21. Did they read the newspaper? 22. Yes, they read it this morning.

# Lesson XIII

**56. Personal pronouns. Forms used as object of a preposition.**
1. The following pronouns are used as object of a preposition.

| mim | *me* | nós | *us* |
|------|--------|-------|---------|
| (ti) | *thee* | (vós) | *you* |
| êle | *him, it* | êles | *them* m. |
| ela | *her, it* | elas | *them* f. |

| | |
|---|---|
| Comprou o livro para mim. | *He bought the book for me.* |
| A carta foi escrita por êles. | *The letter was written by them.* |

2. The various forms to which the value of second person pronouns is attributed (section 15) are also used with this same value as object of a preposition.

| | |
|---|---|
| Comprei o bilhete para o senhor. | *I bought the ticket for you.* |
| A carta foi enviada por você. | *The letter was sent by you.* |

3. The reflexive pronoun **si** *himself, herself, itself, yourself, themselves, yourselves* is used as object of a preposition.

| | |
|---|---|
| Comprou o bilhete para si. | *He bought the ticket for himself.* |

**57. Personal pronouns. Forms used as object of a preposition (continued).** 1. The third person forms listed in section 56 combine with the prepositions **de** and **em** as follows.

| | |
|---|---|
| de + êle:  dêle | de + êles:  dêles |
| de + ela:  dela | de + elas:  delas |

| | |
|---|---|
| em + êle:  nêle | em + êles:  nêles |
| em + ela:  nela | em + elas:  nelas |

2. The following combinations take the place of the preposition **com** with the pronouns **mim, ti, nós, vós,** and **si.**

comigo   *with me*        conǫsco   *with us*
(contigo)  *with thee*        (convǫsco)  *with you*
consigo   *with himself, herself, itself, yourself, them-*
                *selves,* and *yourselves*

**58. Personal pronouns. Forms used as object of a preposition (continued).** 1. The forms listed in section 56 above (including nouns with the value of second person pronouns) are commonly used in colloquial Brazilian with the preposition **a** as indirect object of the verb instead of the indirect object pronouns listed in section 50.

Deu o livro a mim             *He gave the book to me.*
Deu o livro a êle, a ela, ao senhor    *He gave the book to him,*
                                         *to her, to you.*

a) This construction is favored even when the direct object is a personal pronoun, in order to avoid the combinations **mo, lho, no-lo,** etc.

Não os deu a mim.            *He did not give them to me.*

2. The third person forms listed in section 56 above (and the nouns with the value of second person pronouns) are often used with the preposition **de** to avoid ambiguity, instead of the possessive adjective **seu.**

o seu livro            *his book, her book, their book,*
                         *your book*
o livro dêle          *his book*
o livro dela          *her book*
o livro dêles        *their book*
o livro do senhor      *your book*
o livro dos senhores    *your book*

3. The third person forms listed in section 56 above (and the nouns with the value of second person pronouns) are often used with the preposition **de** to avoid ambiguity, instead of the possessive pronoun **seu.**

| | |
|---|---|
| A minha casa e a dêle (for a sua). | *My house and his.* |
| Tenho o livro dêle, não o dela (for o seu). | *I have his book, not hers.* |
| Comprei o meu bilhete e o do senhor (for o seu). | *I bought my ticket and yours.* |

a) These expressions are used without the definite article in the predicate after forms of **ser,** except for emphatic distinction of possessors (see section 30, b 2).

| | |
|---|---|
| O livro é dêle. | *The book is his.* |
| But   O livro é o dêle, não é o dela. | *The book is his, it is not hers.* |

## VOCABULARY

achar to find
aquí tem here you have, *i.e.*, here is, here are
atrás de behind
o branco the white, the white man
cardeal cardinal
o carioca the native of the city of Rio
a carta the letter
a chave the key
a coisa the thing
a confiança the confidence, trust
confinar com to border on
diante de in front of
o distrito the district
entre between
o estado the state
fazer parte de to belong to
federal federal
o fluminense the native of the State of Rio

guaraní Guarani (of an Indian tribe of South America)
interessante interesting
latino -a Latin
leste east
mas sim but (after a negative verb)
materno -a maternal, mother
o natural the native
o norte the north
obrigado -a thanks, thank you; muito obrigado -a many thanks
o oceano the ocean
o oeste the west
ao passo que while
em pé standing
o ponto the point
o relógio the clock
sentado seated
significar to mean
o sul the south

## EXERCISES

**A.** *Read.*   A cidade do Rio de Janeiro não faz parte do Estado do Rio de Janeiro mas sim do Distrito Federal.   Os naturais da cidade são chamados cariocas ao passo que os naturais do Estado são chamados fluminenses. A palavra *carioca* vem de uma palavra guaraní que significa *casa do branco* e a palavra *fluminense* vem de uma palavra latina que significa *rio.*

O Estado do Rio confina ao norte com o Estado do Espírito Santo, ao norte e a oeste com o Estado de Minas Gerais, a oeste com o Estado de São Paulo, e ao sul e a leste com o oceano Atlântico.

O Estado de São Paulo confina ao norte com o Estado de Minas Gerais, a leste com Minas Gerais e o Estado do Rio de Janeiro, a oeste com o Estado de Mato Grosso, ao sul com o Estado do Paraná, e a leste e ao sul com o oceano Atlântico.

**B.** *Answer in Portuguese.* 1. A cidade do Rio de Janeiro faz parte do Estado do Rio? 2. Como são chamados os naturais da cidade do Rio? 3. Os naturais do Estado do Rio de Janeiro? 4. De onde a palavra *carioca* vem? 5. De onde a palavra *fluminense?* 6. Você sabe os limites do Estado do Rio? 7. Os limites do Estado de São Paulo? 8. Quais são os pontos cardeais?

**C.** *Translate the English words.* 1. Está sentado atrás de *you.* 2. Êste livro é *his*, não é *yours.* 3. Dei os lapis *to them.* 4. Foram *with you.* 5. Comprei o chapéu para *her.* 6. É *their* casa e moram *in it.* 7. Aquí tem o jornal da manhã; há coisas muito interessantes *in it.* 8. O relógio está diante de *her.* 9. Veio *with me* ontem. 10. Tenho uma carta para *him.* 11. Fiz aquêle trabalho para *you.*

**D.** *Translate.* 1. João está sentado atrás de mim. 2. Comprei cinco livros para êle. 3. Fizeram muito trabalho para nós. 4. Está sentado entre êle e nôs. 5. Vimos aquí com o senhor. 6. Comprei o jornal para o senhor. 7. Voce sabe o nome do homem que está sentado diante de você? 8. Não, senhor, não sei o nome do homem que está sentado diante de mim. 9. Tem muita confiança em mim. 10. Tenho uma carta para o senhor.

**E.** *Translate.* 1. O professor está sentado atrás da mesa e os alunos estão sentados diante dela. 2. É a minha casa e moro nela. 3. São bons livros e achamos muitas coisas interessantes nêles. 4. Vim aquí com o senhor. 5. Deseja o senhor ir comigo ao teatro?

6. Sim, desejo ir ao teatro com o senhor.  7. Disse-lhe o senhor a verdade?  8. Sim, disse-lha.  9. Deu-me o dinheiro?  10. Sim, dei-o ao senhor.  11. Deu o livro a João ou a Maria?  12. Dei-o a êle.  13. Diz-me a verdade mas não a diz a todos.  14. Deram a mim o dinheiro.  15. João está em pé. *digas*

F. *Translate.*  1. Tenho os livros dêle.  2. De quem é êste chapéu?  3. É o chapéu do senhor.  4. João pôs o meu livro na minha gaveta e o livro dêle na gaveta dêle.  5. É a casa dêle ou a dela?  6. É a dela.  7. Aquí tem a sua chave.  8. Tenho a chave dêle.  9. O português é a sua língua materna.  10. Temos os bilhetes dêles.  11. Aquí têm os senhores os livros.  12. Muito obrigados.  13. Êsse dinheiro é dêle.

G. *Translate.*  1. We are seated behind him.  2. And they are seated in front of us.  3. We bought these books for you.  4. They have confidence in us.  5. They came here with us.  6. And I came here with you.  7. He gave me the books, and I gave him the money.  8. He gave them to me, and I gave it to him.  9. I found your money on the table.  10. They bought their books yesterday.  11. His keys are behind the clock.  12. Your letter came this morning.  13. These tickets are theirs.  14. This letter is his.  15. Here is your letter.  16. Many thanks.  17. She wanted the books and I gave them to her.  18. What does the house have behind it?  19. It has a garden behind it.  20. John took a walk with us in it.  21. We are standing but they are seated.  22. She is standing behind me.

# Lesson XIV

**59. Present indicative and preterit indicative of** *querer to wish, want, will* **and** *rir to laugh.*

### PRESENT

| | |
|---|---|
| quẹro | rịo |
| (quẹres) | (rịs) |
| quẹr | rị |
| querẹmos | rịmos |
| (querẹis) | (rịdes) |
| quẹrem | rịem |

### PRETERIT

| | |
|---|---|
| quịs | rị |
| (quisẹste) | (rịste) |
| quịs | rịu |
| quisẹmos | rịmos |
| (quisẹstes) | (rịstes) |
| quisẹram | rịram |

**60. Imperfect indicative.** 1. The imperfect indicative has only two sets of endings, one for verbs of the first conjugation and one for verbs of the second and third conjugations.

| falar | aprender | partir |
|---|---|---|
| SINGULAR | SINGULAR | SINGULAR |
| 1. fal-ạva | aprend-ịa | part-ịa |
| 2. (fal-ạvas) | (aprend-ịas) | (part-ịas) |
| 3. fal-ạva | aprend-ịa | part-ịa |
| PLURAL | PLURAL | PLURAL |
| 1. fal-ávamos | aprend-íamos | part-íamos |
| 2. (fal-áveis) | (aprend-íeis) | (part-íeis) |
| 3. fal-ạvam | aprend-ịam | part-ịam |

75

2. The imperfect indicatives of all regular and irregular verbs are regular except those of **ser, ter, vir,** and **pôr.**

| ser | ter | vir | pôr |
|---|---|---|---|
| SINGULAR | SINGULAR | SINGULAR | SINGULAR |
| 1. era | tinha | vinha | punha |
| 2. (eras) | (tinhas) | (vinhas) | (punhas) |
| 3. era | tinha | vinha | punha |
| PLURAL | PLURAL | PLURAL | PLURAL |
| 1. éramos | tínhamos | vínhamos | púnhamos |
| 2. (éreis) | (tínheis) | (vínheis) | (púnheis) |
| 3. eram | tinham | vinham | punham |

a) Note that the imperfect indicatives of **ir** and **ver** are regular.

| ir | ver |
|---|---|
| SINGULAR | SINGULAR |
| 1. ia | via |
| 2. (ias) | (vias) |
| 3. ia | via |
| PLURAL | PLURAL |
| 1. íamos | víamos |
| 2. (íeis) | (víeis) |
| 3. iam | viam |

**61. Use of imperfect indicative.** The imperfect is used to express action or state in the past as continuing, repeated, or habitual. It can often be conveniently translated by the past progressive (*was* or *were* with the present participle), by *kept on* with the present participle, or by *used to* or *would* with the infinitive. This tense is the tense of description in the past.

| | |
|---|---|
| Estudavam suas lições. | *They were studying their lessons.* |
| Trabalhava a-pesar-de minha presença. | *He kept on working in spite of my presence.* |
| Iam à escola tôdas as manhãs às oito. | *They used to go to school every morning at eight o'clock.* |
| A casa tinha muitas janelas. | *The house had many windows.* |

The feeling of continuity may be increased by using the verb **estar** in this tense and the gerund (see section 21, 4). This is equivalent to the English past progressive, mentioned above.

**Estavam estudando suas lições.** *They were studying their lessons.*

Two contrasted actions in the past may be expressed by two imperfect indicatives if both actions are simultaneous and continuing. If only one is continuing, it is expressed by the imperfect while the other is expressed by the preterit indicative.

**Êle estudava enquanto eu trabalhava.** *He was studying while I was working.*
**Êle estudava quando eu cheguei.** *He was studying when I arrived.*

For an important colloquial use of the imperfect indicative, see section 96, 3 a.

## VOCABULARY

**abrir** to open
**ambos -as** both
a **árvore** the tree
**contar** to tell; to count; to intend
**continuar** to continue
**diferente** different
o **enderêço** the address
**enquanto** while
**entrar em** to enter, go into, come into
**esperar** to hope

o **estudo** the study
**excelente** excellent
a **fôlha** the leaf
**norte-americano -a** American, North American
o **paulista** the native of São Paulo
a **pensão** the boardinghouse
**porém** but, however
a **pronúncia** the pronunciation
**querer** to wish
**querer dizer** to mean

## EXERCISES

**A.** *Read.* Tenho dois amigos norte-americanos que falam português muito bem. Aprenderam-no em São Paulo e ambos têm uma boa pronúncia. Falam-no sempre quando estão juntos. Quando estavam em São Paulo, moravam numa pensão onde todos falavam sòmente português. Agora contam ir ao Rio para lá continuar o estudo do português. A pronúncia do carioca é um pouco diferente da pronúncia do paulista. Porém, todos falam a mesma língua e meus amigos esperam aprender a falar o português como os brasileiros.

**B.** *Answer in Portuguese.* **1.** Falam português seus amigos norte-americanos? **2.** Onde o aprenderam? **3.** Falam muito o português? **4.** Como o aprenderam? **5.** O que contam fazer agora? **6.** O que você sabe sôbre a pronúncia do carioca? **7.** Os seus amigos falam o português como os brasileiros? **8.** Todos os brasileiros falam a mesma língua?

**C.** *Translate the English words.* **1.** *We were going* ao teatro. **2.** *They used to come* aquí todos os dias. **3.** Que *means* esta palavra? **4.** *They were laughing* quando eu entrei. **5.** A mesa *was* redonda. **6.** *We used to put* os livros na estante. **7.** João *was finishing* seu trabalho quando eu partí. **8.** *I knew* a verdade enquanto êle *kept on telling* mentiras. **9.** *They used to see us* na igreja. **10.** *I had* muitos amigos no Rio. **11.** Estavam *working*.

**D.** *Translate.* **1.** Quis dar um passeio no jardim. **2.** Queremos comprar luvas nesta loja. **3.** Sempre ria muito. **4.** Rio quando o vejo. **5.** O que quer dizer esta palavra? **6.** Quer dizer "livro" em alemão. **7.** Êles não riem muito. **8.** Ria quando eu o vi. **9.** Os alunos querem os lapis? **10.** Sim, querem-nos. **11.** Querem estudar? **12.** Não queremos. **13.** Estávamos rindo.

**E.** *Translate.* **1.** Falava com o professor. **2.** Aprendia a ler o espanhol. **3.** Tínhamos muitos amigos no Rio. **4.** Punham os livros na gaveta quando eu entrei. **5.** Vinha aquí tôdas as tardes. **6.** Meu irmão não estava em casa. **7.** Quando era jovem, morava em París. **8.** Dizia-mo quando João entrou no quarto. **9.** Nós trabalhávamos enquanto êles liam os jornais. **10.** Ela queria estudar em Coimbra. **11.** Ia a sua casa todos os dias. **12.** Sua pronúncia era excelente. **13.** Não sabia o enderêço do professor. **14.** Não havia fôlhas nas árvores. **15.** Morávamos numa pensão em Nova York. **16.** Os livros estavam na estante. **17.** Meu amigo era carioca. **18.** Estava fazendo mau tempo.

**F.** *Translate.* **1.** He used to live in the house next door. **2.** He kept on opening the door for the pupils. **3.** We used to work in this city.  4. He wished to come to Philadelphia.  5. What does this word mean?  6. I do not know what it means in Portuguese. 7. She studied her lesson while we took a walk.  8. I went home every night at ten o'clock.  9. What was your sister doing?  10. She was working in the garden.  11. What were you doing when the boys came in?  12. I was reading the newspaper.  13. I was home when he told them the news.  14. The weather was bad when I was in New York.  15. We were studying while they were working. 16. What was he doing in the library?  17. He was studying his lessons.  18. He was a native of São Paulo.  19. That was the address of the letter.  20. The tree had large leaves.  21. That was an excellent book.

*árvore    folhas*

# Lesson XV

**62. Present indicative and preterit indicative of** *haver to have* **and** *trazer to bring.*

PRESENT

| | |
|---|---|
| hei | trago |
| (hás) | (trazes) |
| há | traz |
| havemos | trazemos |
| (haveis) | (trazeis) |
| hão | trazem |

PRETERIT

| | |
|---|---|
| houve | trouxe [1] |
| (houveste) | (trouxeste) |
| houve | trouxe |
| houvemos | trouxemos |
| (houvestes) | (trouxestes) |
| houveram | trouxeram |

**63. Future indicative.** There are two future indicatives: (1) a simple future, formed by attaching as endings to the infinitive the forms of the present indicative of **haver** (minus the initial **h** and the element **hav-** of the first and second plural forms), and (2) a compound future, formed by placing **de** plus the infinitive after the present indicative of **haver** with a hyphen between the forms of **haver** and **de**. The compound future expresses strong determination on the part of the subject.

| | |
|---|---|
| falarei | hei-de falar |
| (falarás) | (hás-de falar) |
| falará | há-de falar |
| falaremos | havemos-de falar |
| (falareis) | (haveis-de falar) |
| falarão | hão-de falar |

[1] The **x** of this tense and the derived tenses is pronounced like **ss.**

a) The future indicatives of all regular and irregular verbs are formed in these two ways except that the simple futures of the verbs **dizer, fazer,** and **trazer** are formed on shortened infinitives: **direi, farei,** and **trarei.**

**64. Position of pronouns with simple future. 1.** In independent affirmative sentences the pronouns listed in section 50 and their combinations with each other listed in section 53 are placed between the two elements of the simple future and connected with them by hyphens.

| | |
|---|---|
| **Falar-lhe-ęi.** | *I shall speak to him.* |
| **Dir-me-á.** | *He will tell me.* |
| **Dir-lho-ęmos.** | *We shall tell him (it).* |
| **Dar-no-lo-á** | *He will give it to us.* |

The forms **o, a, os,** and **as** change to **-lo, -la, -los,** and **-las** respectively because of the preceding infinitive, in accordance with section 54, 1.

| | |
|---|---|
| **Acabá-lo-ęi.** | *I shall finish it.* |
| **Aprendê-lo-á.** | *He will learn it.* |
| **Fá-lo-ęmos.** | *We shall do it.* |
| **Di-lo-ão.** | *They will tell it.* |

This construction is often avoided in colloquial Brazilian by the use of a subject pronoun.

| | |
|---|---|
| **Eu lhe falarei.** | *I shall speak to him.* |
| **Êle no-lo dará.** | *He will give it to us.* |
| **Nós o faremos.** | *We shall do it.* |
| **Êles o dirão.** | *They will tell it.* |

2. In independent negative sentences, in independent interrogative sentences introduced by interrogative pronouns and adverbs, and in dependent clauses, all these pronouns and their combinations precede the simple future in accordance with section 51, 2 a, b, and c.

| | |
|---|---|
| **Não lhe falaręi.** | *I shall not speak to him.* |
| **Quem mo dará?** | *Who will give it to me?* |
| **Diz que o fará.** | *He says that he will do it.* |

**65. Other uses of *haver*.** Besides being used to form the future indicative, **haver** is used impersonally with the meanings *there is*, *there are*, and *ago*. The impersonal forms of the tenses we have had are: present **há**, preterit **houve**, imperfect **havia**, future **há-de haver** and **haverá**. **Haver** never means *to have* in the sense of *to possess;* this meaning is expressed by **ter**.

## VOCABULARY

o **acidẹnte** the accident
acreditạr to believe
alguṃa cọisa something
amanhạ̃ de manhạ̃ tomorrow
   morning
célebre famous
o **comércio** the business, commerce
culturạl cultural
o **freguês** the customer
o **império** the empire
a **Mẹca** the Mecca
ọito dịas a week
a orịgem the origin, rise
o **país** the country

o **Pôrto** Oporto
poupạr to save
próximo -a next
quịnze dịas two weeks
se if
o **século** the century
a **séde** the seat
na próxima semạna next week
sôbre about
a **universidạde** the university
a **viạgem** the trip, the voyage
o **vịnho** the wine
o **vịnho do Pôrto** Port wine
visitạr to visit

## EXERCISES

**A. *Read.*** Nós poupamos dinheiro para poder fazer uma viagem a Portugal. Iremos alí no próximo ano. Visitaremos Lisboa, o Pôrto, Coimbra, e outras cidades grandes e pequenas. Lisboa é a capital do país e tem um grande e belo pôrto. A cidade do Pôrto deu origem ao nome do país; é centro do comércio de vinhos que têm o nome de vinhos do Pôrto. E Coimbra é a séde da célebre universidade que nos séculos dezeseis e dezesete foi a Meca cultural de todo o império português. Nós lhe falaremos na próxima semana das outras cidades que vamos visitar.

**B. *Answer in Portuguese.*** 1. Por que poupam dinheiro? 2. Quando irão a Portugal? 3. Que cidades visitarão? 4. O que há de interessante em Lisboa? 5. No Pôrto? 6. Em Coimbra? 7. Visitarão outras cidades? 8. Vocês sabem alguma coisa sôbre essas cidades?

**C.** *Translate the English words.* 1. *I shall bring* os livros amanhã. 2. *Did they bring* as luvas esta manhã? 3. *There were* muita gente na rua. 4. *You will know how* falar português em breve. 5. *They will have* mais lições *to* estudar. 6. Os fregueses *will not believe* a verdade. 7. Êle *will come* na próxima semana. 8. Sei que êle *will learn it.* 9. Êles *will come* amanhã. 10. Estas lições são difíceis e nós *shall study them* muito. 11. Quantos alunos *were there* na classe? 12. Eu *shall bring you* um copo de água imediatamente.

**D.** *Translate.* 1. Há muita gente no teatro. 2. Havia vinte alunos naquela classe. 3. O amigo trouxe-me o jornal esta manhã às nove. 4. Trazia-mo às oito. 5. Traga ¹-me um copo de água. 6. Vi o professor há quinze dias. 7. Houve um acidente na rua. 8. O padeiro traz pão aos fregueses todos os dias. 9. Êle o traz todos os dias. 10. Veio aquí há oito dias.

**E.** *Translate.* 1. Iremos a Nova York na próxima semana. 2. Estarão juntos amanhã. 3. Acredito que minha irmã virá amanhã de manhã. 4. Dar-me-á os livros? 5. Sim, eu lhos darei. 6. Estudarão as lições? 7. Sim, senhor, estudá-las-emos. 8. Dir-nos-á a verdade? 9. Sim, eu lha direi. 10. Há-de haver muita gente no teatro esta noite. 11. Acredito que o senhor há-de aprender o português depressa. 12. Sim, aprendê-lo-ei de-pressa. 13. O senhor alugará a casa? 14. Sim, senhor, alugá-la-ei. 15. Trar-lhe-ei os seus livros amanhã de manhã. 16. Aprenderão esta lição para amanhã? 17. Sim, aprendê-la-emos. 18. Não, não a aprenderemos.

**F.** *Translate.* 1. I shall ask for him tomorrow morning. 2. We shall live in that hotel. 3. He will tell me where he was going. 4. Will they give you the books? 5. Yes, they will give them to me. 6. She will tell you. 7. Have you studied your lessons? 8. No, but we shall study them tomorrow morning. 9. Shall you be here next week? 10. Yes, I shall. 11. He will bring you a glass of

¹ Command form of **trazer.**

water if you are thirsty.    12. There will be many students in that class.    13. I believe that he will do it.    14. We shall live together in Lisbon.    15. She was here two weeks ago.    16. We shall be customers in that store.    17. I have two books and I shall give them to him.    18. He knows the Portuguese language and he will speak it in Brazil.    19. She has a house and we shall rent it.    20. He will bring me a glass of water.

# Lesson XVI

**66. Present indicative and preterit indicative of** *crer to believe, think* **and** *valer to be worth, be useful.*

PRESENT

| | |
|---|---|
| creio | valho |
| (crês) | (vales) |
| crê | vale |
| cremos | valemos |
| (credes) | (valeis) |
| crêem | valem |

PRETERIT

| | |
|---|---|
| cri | valí |
| (crêste) | (valeste) |
| creu | valeu |
| cremos | valemos |
| (crêstes) | (valestes) |
| creram | valeram |

**67. Reflexive pronouns and reflexive verbs. 1.** Reflexive pronouns are direct and indirect object pronouns which refer to the same person or thing as the subject of the verb. They are the same as the personal pronouns listed in section 50 except in the third singular and plural.

| | | | |
|---|---|---|---|
| **me** | *myself, to* or *for myself* | **nos** | *ourselves, to* or *for ourselves* |
| **(te)** | *thyself, to,* or *for thyself* | **(vos)** | *yourselves, to* or *for yourselves* |
| **se** | *himself, to* or *for himself* | **se** | *themselves, to* or *for themselves* |
| | *herself, to* or *for herself* | | *yourselves, to* or *for yourselves* |
| | *itself, to* or *for itself* | | |
| | *yourself, to* or *for yourself* | | |

**2.** Reflexive verbs are verbs used with reflexive pronouns to express an action of the subject upon itself. The reflexive pronouns are placed with respect to the verb in accordance with section 51. Thus the present indicative affirmative and negative of **levantar-se** *to get up, to rise* is conjugated as follows. Note that the final **s** of the first plural is dropped before **-nos** is added.

| AFFIRMATIVE | | NEGATIVE |
|---|---|---|
| levanto-me or | eu me levanto | não me levanto |
| (levantas-te) | (tu te levantas) | (não te levantas) |
| levanta-se | êle se levanta | não se levanta |
| | ela se levanta | |
| | você se levanta | |
| levantamo-nos | nós nos levantamos | não nos levantamos |
| (levantais-vos) | (vós vos levantais) | (não vos levantais) |
| levantam-se | êles se levantam | não se levantam |
| | elas se levantam | |
| | vocês se levantam | |

The simple future indicative affirmative is **levantar-me-ei,** etc. or **eu me levantarei,** etc.

b) Some verbs are not reflexive, although their equivalents in Spanish and other Romance languages are, e.g., **acordar** *to get awake*, **adormecer** *to go to sleep*.

**68. Use of reflexive for the passive voice.** The reflexive is often used where the passive voice would be used in English.

| | |
|---|---|
| Falam-se muitas línguas naquela cidade. | *Many languages are spoken in that city.* |
| Dançava-se. | *Dancing was enjoyed* or *There was dancing.* |

**69. Impersonal use of reflexive.** The third singular reflexive is often used impersonally. This construction may be translated into English by the verb with *one, they, you,* or *people* as subject.

| | |
|---|---|
| Por onde se **vai para a** estação? | *Which way does one go to the station?* |
| Pode ver-se a tôrre da minha janela. | *The tower can be seen from my window.* |

**70. Reciprocal use of reflexive.** A plural subject may be looked upon as acting upon itself as a whole although the individuals constituting it do not act upon themselves separately but rather upon each other. To express such action the reflexive construction is used in what is called the reciprocal use of the reflexive.

| | |
|---|---|
| **Vêem-se no espelho.** | *They see each other in the mirror.* |

In order to avoid ambiguity the indefinite pronoun construction **um ao outro (uma à outra)** is used where the subject consists of two individuals and **uns aos outros (umas às outras)** where the subject consists of more than two individuals.

| | |
|---|---|
| **Vêem-se no espelho um ao outro.** | *They* (two individuals) *see each other in the mirror.* |
| **Vêem-se no espelho uns aos outros.** | *They* (more than two individuals) *see each other in the mirror.* |
| **Escrevem-se cartas uns aos outros.** | *They* (more than two individuals) *write letters to each other.* |

a) Note that the preposition **a** is included in the indefinite pronoun construction whether the reflexive pronoun is direct or indirect.

## VOCABULARY

**acordar** to get awake
**adormecer** to go to sleep
**antes de** before
**cada** each, every
a **cama** the bed
**certo -a** sure
**chamar-se** to be called; **chamo-me** my name is
a **conversação** the conversation
**crer** to believe, think; **crer em** to believe in; **crer que sim** to think so; **crer que não** to think not
**deitar-se** to lie down, go to bed

a **estação** the station
**faltar a** to be absent from
a **geografia** the geography
as **Guianas** the Guianas
**holandês -a** Dutch
**ir para a cama** to go to bed
**ir-se (embora)** to go away
os **limites** the boundaries
**muitíssimo** very much
**muito . . . para** too . . . to
o **noroeste** the northwest
**nunca** never
**passar sem** to do without
**por alí** that way

**por aquí** this way
**por onde?** which way?
**rir-se de** to laugh at
o **segrêdo** the secret
**sem** without
o **sudoeste** the southwest

**também não** not either, neither
**tanto** (*adv.*) so much
**ter razão** to be right
**valer a pena** to be worth while
a **Venezuela** Venezuela

## EXERCISES

**A.** *Read.* Ontem à noite não me deitei antes da meia-noite. E não pude adormecer. Por isso, estou muito cansado para estudar esta manhã. Não sei a minha lição de português mas não quero faltar à aula hoje. Temos aula de conversação e passaremos o tempo conversando em português sôbre a geografia do Brasil. Já sei os limites do Brasil: ao norte, a Venezuela, as Guianas Inglêsa, Holandesa, e Francesa, e o oceano Atlântico; a noroeste, a Colômbia; a oeste, o Perú e a Bolívia; a sudoeste, o Paraguai e a Argentina; ao sul, o Uruguai; e a leste, o oceano Atlântico.

**B.** *Answer in Portuguese.* 1. A que horas se deitou ontem à noite? 2. Adormeceu imediatamente? 3. Está cansado hoje? 4. Sabe a lição de português? 5. Como passarão o tempo na aula de português? 6. Quais são os limites do Brasil? 7. Que países da América do Sul não confinam com o Brasil?

**C.** *Translate the English words.* 1. João *got up* cedo esta manhã. 2. Maria *went to sleep* imediatamente. 3. Quando *will you get awake?* 4. Estou certo de que êle *will not go to bed* antes da meia--noite. 5. *One can go* para a estação por alí. 6. Nós *see each other* cada segunda-feira. 7. Eu não tenho dinheiro e êle *either* não tem. 8. Êstes livros *are worth* muito. 9. Não posso *do without* os meus amigos. 10. Eu *shall not get up* antes das oito.

**D.** *Translate.* 1. Creio que há de vir amanhã. 2. Acreditei que êle vinha. 3. Êstes livros valem muito. 4. Não vale a pena trabalhar tanto. 5. Cremos que valemos muito. 6. Crêem nas palavras do amigo. 7. Crê o senhor que virá esta noite? 8. Sim, estou certo de que virá. 9. Esta casa valia muito mas agora não vale nada.

10. Creio que não vale a pena ir alí.   11. Crê que João o fará?
12. Creio que sim.   13. Creio que não.   14. Creio que tem razão.

**E.** *Translate.*   1. Levantamo-nos às sete.   2. Levanto-me cedo
e deito-me tarde.   3. Não nos deitamos nunca antes das onze.
4. Como se chama aquêle rapaz?   5. Chama-se João.   6. Êle estudava quando nos fomos embora.   7. Deitar-se-ão às onze e meia.
8. Adormecí depois da meia-noite.   9. Acordei esta manhã muito
cedo.   10. Estava cansado e deitei-me imediatamente.   11. Êles se
deitarão tarde.   12. Nós nos fomos embora muito cedo.   13. Nós
nos levantamos às seis.   14. Êle se riu de nós.

**F.** *Translate.*   1. Fala-se português nesta loja.   2. Diz-se que
êle tem muitos amigos.   3. Não se pode passar sem dinheiro.
4. Dizem-se muitos segredos uma à outra.   5. Damo-nos livros um
ao outro.   6. Está certo de que se verão no Rio.   7. Deitamo-nos
depois de ler os jornais da tarde.   8. Vai-se a Coimbra por alí e a
Lisboa por aquí.   9. Por onde se vai à estação?   10. Vai-se à
estação por aquí.   11. É tarde e vou para a cama.

**G.** *Translate.*   1. These books are not worth anything.   2. Those
pencils are not worth anything either.   3. I think they will come
today.   4. Are you sure that he gets up early?   5. Yes, I know that
he goes to bed early and gets up early.   6. They were tired and went
to bed.   7. I went to sleep before ten o'clock.   8. They got awake
very early.   9. We see each other every day.   10. We told each
other many secrets.   11. Which way do you go to the library?
12. You go to the library that way.   13. I cannot do without books;
I read very much.   14. Has John gone to sleep?   15. I think not;
he is reading the morning paper.   16. They went away without their
books.   17. That boy never gets up early.   18. We go to bed early
and we get up early.   19. She went away before eight o'clock.
20. His name is John and her name is Mary.   21. What are you
laughing at?   22. I am laughing at the story that you told me.

# Lesson XVII

**71. Radical-changing verbs. Verbs with radical *e*.** In addition to the change in ending, some verbs have a change in their radical vowel and are, therefore, called radical-changing verbs.

1. In those forms in which the radical vowel is stressed, it is pronounced ę, with the exception of the first singular of verbs of the second conjugation, where it is pronounced ẹ, and the first singular of verbs of the third conjugation, where it is changed to ị.

PRESENT INDICATIVE

| 1st Conjugation | 2d Conjugation | 3d Conjugation |
|---|---|---|
| levar | dever | servir |
| SINGULAR | SINGULAR | SINGULAR |
| 1.  lẹvo | dẹvo | sịrvo |
| 2.  (lęvas) | (dęves) | (sęrves) |
| 3.  lęva | dęve | sęrve |
| PLURAL | PLURAL | PLURAL |
| 1.  levạmos | devẹmos | servịmos |
| 2.  (levạis) | (devęis) | (servís) |
| 3.  lęvam | dęvem | sęrvem |

a) If radical **e** is followed by **m** or **n**, it is pronounced ę, nasalized, in all these forms (section 1, letter **e**), with the exception that in the first singular of verbs of the third conjugation it is changed to ị, nasalized.

| sentar | vender | sentir |
|---|---|---|
| 1.  sẹnto | vẹndo | sịnto |
| 2.  (sęntas) | (vęndes) | (sęntes) |
| 3.  sęnta | vęnde | sęnte |
| 1.  sentạmos | vendẹmos | sentịmos |
| 2.  (sentạis) | (vendęis) | (sentís) |
| 3.  sęntam | vęndem | sęntem |

90

b) Verbs ending in **-echar, -ejar,** and **-elhar,** e.g., **fechar, desejar,** and **aconselhar,** are not radical-changing verbs, as the radical vowel remains ę throughout.   This is true also of the verb **chegar.**

| fechar *to close* | desejar *to desire* | aconselhar *to advise* | chegar *to arrive* |
|---|---|---|---|
| 1.  fęcho | desęjo | aconsęlho | chęgo |
| 2.  (fęchas) | (desęjas) | (aconsęlhas) | (chęgas) |
| 3.  fęcha | desęja | aconsęlha | chęga |
| | | | |
| 1.  fechạmos | desejạmos | aconselhạmos | chegạmos |
| 2.  (fechạis) | (desejạis) | (aconselhạis) | (chegạis) |
| 3.  fęcham | desęjam | aconsęlham | chęgam |

2.  In all forms in which radical **e** is not stressed, it is pronounced ę, except that it is pronounced i̧ in those forms of verbs of the second and third conjugations whose endings begin with a stressed **i** (see section 1, letter **e**).

| | | | |
|---|---|---|---|
| **deví** | [diví] [1] | **serví** | [sirví] |
| **devi̧a** | [divía] | **servi̧a** | [sirvía] |

a)  This change in pronunciation takes place in verbs with radical **e** followed by **m** or **n.**

| | | | |
|---|---|---|---|
| **temí** | [timí] [1] | **sentí** | [sintí] |
| **temi̧a** | [timía] | **senti̧a** | [sintía] |

**72. Radical-changing verbs.   Verbs with radical *o*.   1.** In those forms in which the radical vowel is stressed, it is pronounced ǫ, with the exception of the first singular of verbs of the second conjugation, where it is pronounced ǫ, and the first singular of verbs of the third conjugation, where it is changed to u̧.

[1] The words in brackets are used to indicate pronunciation.   They are not found as spellings.

PRESENT INDICATIVE

| 1st Conjugation | 2d Conjugation | 3d Conjugation |
|:---:|:---:|:---:|
| notar | mover | dormir |
| SINGULAR | SINGULAR | SINGULAR |
| 1. nǫto | mǫvo | durmo |
| 2. (nǫtas) | (mǫves) | (dǫrmes) |
| 3. nǫta | mǫve | dǫrme |
| PLURAL | PLURAL | PLURAL |
| 1. notamos | movemos | dormimos |
| 2. (notais) | (moveis) | (dormís) |
| 3. nǫtam | mǫvem | dǫrmem |

a) If radical o is followed by **m** or **n,** it is pronounced ǫ, nasalized, in all these forms (see section 1, letter **o**).

| contar | romper |
|:---:|:---:|
| 1. cǫnto | rǫmpo |
| 2. (cǫntas) | (rǫmpes) |
| 3. cǫnta | rǫmpe |
| 1. contamos | rompemos |
| 2. (contais) | (rompeis) |
| 3. cǫntam | rǫmpem |

b) In verbs of the first conjugation, if radical **o** is followed immediately by the endings, it is pronounced ǫ in all these forms.

| corôo | coroamos |
|:---:|:---:|
| (corǫas) | (coroais) |
| corǫa | corǫam |

**73. Radical-changing verbs. Verbs of the third conjugation with radical *u*.**

| subo | subimos |
|:---:|:---:|
| (sǫbes) | (subís) |
| sǫbe | sǫbem |

## VOCABULARY

**apanhạr** to get, pick up
**apressạr-se** to hurry
o **chẹiro** the odor
**despịr-se** to undress
**devẹr** to owe; to have to, must
**divertịr-se** to enjoy oneself
**dormịr** to sleep
**estạr de vọlta** to be back
**ficạr contẹnte (em)** to be glad (to)
**levạr** to take (away)
**morrẹr** to die; **morrẹr de** to die of, languish with
o **pacọte** the package

**pôr** to put on
**prọnto -a** ready
a **rọupa de bạnho** the bathing suit
**sentạr-se** to sit down, seat oneself
**sentịr** to smell
**subịr** to go up
o **tịo** the uncle
**tomạr um bạnho de mạr** to go bathing in the ocean
**vestịr** to put on
**vestịr-se** to dress (oneself)

## EXERCISES

**A.** *Read.* João—Você não quer ir à praia comigo tomar um banho de mar?

José—Quero, muito obrigado. Fico contente em ir com você. Divirto-me sempre na praia. A que horas deseja ir?

João—Você está pronto para ir?

José—Sim, estou. Devemos apressar-nos?

João—Podemos tomar o trem das onze. Iremos a casa de meu tio que mora perto da praia. Levaremos as nossas roupas de banho conosco. Poderemos vestí-las em casa de meu tio. Passaremos a tarde na praia e estaremos de volta às cinco.

José—Vamo-nos, estou pronto.

**B.** *Answer in Portuguese.* 1. José quer ir à praia com João? 2. José diverte-se na praia? 3. A que horas devem ir? 4. Devem apressar-se? 5. Onde mora o tio de João? 6. Os rapazes alugam roupas de banho? 7. Por que vão a casa do tio de João? 8. A que horas contam estar de volta?

**C.** *Translate the English words.* 1. O senhor *owe me* dinheiro. 2. Êles *sleep* tarde. 3. *Put on* a roupa de banho. 4. Êle *is going* *up* ao quarto.   5. Vá à livraria *to get* os meus livros.   6. Eu *take* o trem tôdas as manhãs às nove.   7. Eu sempre *enjoy myself* em Nova York.   8. Eu *shall get* os livros e *take them* comigo.   9. *Take* êsse pacote consigo.   10. Eu *sleep* nesta cama.

**D.** *Translate.*   1. Divirto-me sempre na praia.   2. Leve [1] êste pacote ao seu amigo.   3. Vestiu-se esta manhã muito cedo.   4. Dispo-me e leio na cama antes de adormecer.   5. João vestia a roupa de banho quando seu pai o chamou.   6. Tirou o chapéu quando entrou no quarto.   7. Divertir-nos-emos muito em Nova York na próxima semana.   8. Sentamo-nos à mesa às sete.   9. O senhor deve trabalhar esta tarde?   10. Sim, devo.   11. Apressam-se porque devem estar de volta antes das seis.   12. Sinto o cheiro das flores do jardim.   13. Deve-me muito dinheiro.   14. Nós nos divertiremos no Rio.

**E.** *Translate.*   1. Vou à biblioteca apanhar um livro.   2. Havemos-de tomar o trem às nove e um quarto.   3. Subimos ao quarto às dez e deitamo-nos às dez e meia.   4. Dormiu bem a noite passada?   5. Sim, dormí muito bem e não acordei antes das oito.   6. Acordo geralmente cedo.   7. Dormíamos quando êle se foi embora.   8. Sobe ao seu quarto agora?   9. Sim, subo.   10. Morro de fome.   11. Morria de sêde.   12. Pus o chapéu.   13. Êle se sentou atrás da mesa.

**F.** *Translate.*   1. I got a book this morning at the bookstore. 2. I shall take the train to go to the seashore.   3. Are you dressing now?   4. Yes, I am dressing.   5. We are hurrying because we must be back at three o'clock.   6. I always enjoy myself at the theater. 7. Put on your hat and come with me.   8. We shall put on our bathing suits.   9. Come up to my room at once.   10. I was dressing in my bedroom when he called me.   11. I get awake at six o'clock every morning.   12. He took that package to the station.   13. He got this package at the station.   14. I owe them money.   15. He enjoyed himself at the shore.   16. We owed him money.   17. She took the book away.   18. Move the table.   19. He goes to bed and goes to sleep at once.   20. He sleeps late.   21. He took his hat off when he entered the room.

[1] Command form of **levar.**

# Lesson XVIII

**74. Conjugation of** *pedir* to ask, request. Although **pedir** is a radical-changing verb (section 71, 2), it does not have a radical change in the first singular present indicative but is irregular in this form.

| | |
|---|---|
| pęço | pedįmos |
| pędes | pedįs |
| pęde | pędem |

**75. Present subjunctive.** The stem of the present subjunctive is found by dropping the ending **o** of the first singular present indicative.[1]

1st sg. pres. ind.　fạl-o　　　　aprẹnd-o　　　　pạrt-o

| SINGULAR | SINGULAR | SINGULAR |
|---|---|---|
| 1.　fạl-e | aprẹnd-a | pạrt-a |
| 2.　(fạl-es) | (aprẹnd-as) | (pạrt-as) |
| 3.　fạl-e | aprẹnd-a | pạrt-a |
| PLURAL | PLURAL | PLURAL |
| 1.　fal-ẹmos | aprend-ạmos | part-ạmos |
| 2.　(fal-ẹis) | (aprend-ạis) | (part-ạis) |
| 3.　fạl-em | aprẹnd-am | pạrt-am |

a) The stem of the present subjunctive of radical-changing verbs is found in the same way, the radical vowel being the same as that of the first singular present indicative.

1st sg. pres. ind.　lẹv-o　　　　dẹv-o　　　　sịrv-o

| SINGULAR | SINGULAR | SINGULAR |
|---|---|---|
| 1.　lẹv-e | dẹv-a | sịrv-a |
| 2.　(lẹv-es) | (dẹv-as) | (sịrv-as) |
| 3.　lẹv-e | dẹv-a | sịrv-a |

[1] It is clear now that the command forms (section 49) are the third singular and plural forms of the present subjunctive. The first plural present subjunctive is similarly used and is equivalent to English *let us* . . . : **Falemos português** *Let us speak Portuguese.*

95

| PLURAL | PLURAL | PLURAL |
|---|---|---|
| 1. lev-emos | dev-amos | sirv-amos |
| 2. (lev-eis) | (dev-ais) | (sirv-ais) |
| 3. lev-em | dev-am | sirv-am |

1st sg. pres. ind.    noto        mov-o        durm-o

| SINGULAR | SINGULAR | SINGULAR |
|---|---|---|
| 1. not-e | mov-a | durm-a |
| 2. (not-es) | (mov-as) | (durm-as) |
| 3. not-e | mov-a | durm-a |

| PLURAL | PLURAL | PLURAL |
|---|---|---|
| 1. not-emos | mov-amos | durm-amos |
| 2. (not-eis) | (mov-ais) | (durm-ais) |
| 3. not-em | mov-am | durm-am |

**76. Use of subjunctive.** The subjunctive is used in noun clauses introduced by **que** after verbs expressing wish, preference, command, request, advice, insistence, permission, consent, approval, prohibition, and similar ideas.

| | |
|---|---|
| **Desejo que se levante cedo.** | *I want you to get up early.* |
| **Mando que parta.** | *I am ordering you to go away.* |

a) If the subject of the dependent verb is the same as the subject of the main verb, the infinitive is used.

| | |
|---|---|
| **Desejo levantar-me cedo.** | *I want to get up early.* |

b) After some verbs the subjunctive and the infinitive may be used interchangeably.

| | |
|---|---|
| **Proíbo-lhe que venha.** ⎫ <br> **Proíbo-lhe vir.**     ⎭ | *I forbid him to come.* |

c) After **pedir** an infinitive is preceded by the preposition **para**.

| | |
|---|---|
| **Pede para ver a casa.** | *He asks to see the house.* |

d) After the verb **dizer** implying command, only the subjunctive may be used.

| | |
|---|---|
| **Digo-lhe que espere.** | *I tell him to wait.* |

## VOCABULARY

aconselhar to advise
beber to drink
o cachimbo the pipe
o charuto the cigar
o cigarro the cigarette
comer to eat
deixar to let, allow; deixar de to
stop, cease
a esquina the corner
ficar to stand
a filha the daughter
o filho the son
a frase the sentence
fumar to smoke

mandar to order
mover to move
o movimento the movement, activity
pedir to ask, request
permitir to permit, let
preferir to prefer
proïbir to prohibit, forbid
o quiosque the newsstand
repetir to repeat
o sêlo do correio the postage stamp
a tabacaria the cigar store
tossir to cough

## EXERCISES

**A.** *Read.* Meu pai deseja que eu compre um cachimbo para êle. O médico aconselha-lhe que deixe de fumar charutos e cigarros. Onde se pode achar uma tabacaria?

Há uma boa tabacaria na esquina da rua.

E onde posso comprar jornais? Posso comprar jornais também na tabacaria?

Em Portugal vendem-se jornais e selos do correio nas tabacarias, mas no Brasil, não. O senhor encontrará jornais nos quiosques que ficam nas esquinas de grande movimento.

Muito obrigado.

**B.** *Answer in Portuguese.* 1. O que deseja seu pai que lhe compre? 2. Por que deseja um cachimbo? 3. Onde há uma boa tabacaria? 4. Pode-se comprar jornais nas tabacarias no Brasil? 5. Onde se pode comprá-los? 6. Pode-se comprar jornais nas tabacarias em Portugal? 7. Onde se vendem selos do correio em Portugal? 8. O senhor deseja comprar selos? 9. O senhor fuma charutos ou cigarros?

**C.** *Translate the English words.* 1. Desejo que o senhor *write* uma carta a meu irmão. 2. Digo-lhe *not to smoke* tanto. 3. Peço-

-lhe que *come* já.  4. Aconselho-lhe que *go away*.  5. Mandá-lo-ei *to work* muito.  6. Quer que o filho *learn* o português.  7. Aconselha--nos que não *eat* tanto.  8. Essa água não é boa, *don't drink it*.  9. Prefiro que *you speak* mais devagar.  10. *Don't cough* tanto.

**D.** *Translate.*  1. O senhor deseja que trabalhemos todo o dia.  2. Êle nos aconselha que estudemos muito.  3. Êle não nos deixa comer antes das nove.  4. Ela diz que falemos devagar.  5. Não deixa que o filho fume.  6. Mandamos que todos se levantem cedo amanhã.  7. Aconselho-lhe a não beber essa água.  8. Mando que os alunos se deitem antes das dez e meia.  9. Queremos que aprendam bem as suas lições.  10. Pedem que estudemos muito.  11. O médico aconselha-me a não fumar.  12. Pede-me que estude muito.

**E.** *Translate.*  1. Proïbimos que durma tarde.  2. Quero que apanhem na loja um pacote para mim.  3. Não permite que se mova a cadeira.  4. Não coma tanto.  5. Quero que você não beba tanto vinho.  6. Deseja que a filha me escreva uma carta tôdas as semanas.  7. O médico diz que eu não beba tanto vinho.  8. O professor diz que repitamos a frase.  9. A nossa mãe quer que nos vistamos cedo.  10. Desejam que não tussamos tanto.  11. Queremos que os senhores se divirtam hoje.  12. Quero que se apressem.  13. Peço que repita a frase.  14. Permita o senhor que João mova a cadeira.  15. Dir-lhe-ei que compre um bilhete para mim.

**F.** *Translate.*  1. We want you to work hard.  2. Do not drink that wine.  3. He advises us to study Portuguese.  4. We do not allow them to smoke.  5. He orders us to go to bed.  6. They ask us to hurry.  7. I tell him not to cough so much.  8. I do not allow those chairs to be moved.  9. I want you to enjoy yourself here.  10. I wish to write her a letter, and I wish you to write her a letter too.  11. Let the boy write a letter to his friend.  12. He wants you to go to the cigar store.  13. She will ask you to come early.  14. My father forbids my smoking.  15. They wish to go to the theater this evening.  16. He asks me to get up early.  17. She orders the pupils to arrive at eight o'clock.  18. I will not permit her to smoke.  19. I always tell him to work hard.  20. She does not allow her son to drink wine.

# Lesson XIX

**77. Present subjunctive (continued).** The stem of the present subjunctive of irregular verbs is found in the same way as that of other verbs (section 75), with the following seven exceptions. These verbs have an irregular stem in the whole present subjunctive.

| Inf. | dạr | estạr | sẹr | ịr | havẹr | sabẹr | querẹr |
|------|-----|-------|-----|-----|-------|-------|--------|
| 1st sg. pres. ind. | dọu | estọu | sọu | vọu | hẹi | sẹi | quẹro |
| Pres. subj. | dê | esteja | sẹja | vá | hạja | sạiba | quẹira |
| | (dês) | (estejas) | (sẹjas) | (vás) | (hạjas) | (sạibas) | (quẹiras) |
| | dê | esteja | sẹja | vá | hạja | sạiba | quẹira |
| | dêmos | estejạmos | sejạmos | vạmos | hajạmos | saibạmos | queirạmos |
| | (dẹis) | (estejạis) | (sejạis) | (vạdes) | (hajạis) | (saibạis) | (queirạis) |
| | dêem | estejam | sẹjam | vão | hạjam | sạibam | quẹiram |

**78. Use of subjunctive (continued).** 1. The subjunctive is used in noun clauses introduced by **que** after verbs expressing emotion (such as joy, sorrow, hope, fear, surprise).

> **Fico contente que venha.**     *I am glad that he is coming.*
> **Sinto que esteja doente.**     *I am sorry that you are ill.*

a) The verb **esperar** *to hope* may be followed by the indicative if probability of realization of the hope is implied.

> **Espero que virá**     *I hope that he will come.*

b) If the subject of the dependent verb is the same as the subject of the main verb, the infinitive is used.

> **Sinto não poder ir.**     *I am sorry that I cannot go.*

2. The subjunctive is used in noun clauses introduced by **que** after verbs expressing doubt or disbelief.

| | |
|---|---|
| **Não creio que esteja aquí.** | *I do not believe that he is here.* |
| **Duvido que fale português.** | *I doubt if he speaks Portuguese.* |

3. The subjunctive is used in noun clauses introduced by **que** after impersonal verbs (usually **ser** plus a noun or an adjective) that do not express certainty.

| | |
|---|---|
| **É possível que o faça.** | *It is possible he will do it.* |
| **É preciso que partamos.** | *It is necessary that we leave.* |

a) If the impersonal verb expresses certainty, the indicative is used.

| | |
|---|---|
| **É certo que virá.** | *It is sure that he will come.* |
| **É verdade que mora aqui.** | *It is true that he lives here.* |

## VOCABULARY

**aberto -a** open
**alegre** gay, merry
**além de** besides
**algum, alguma** some
**apresentar** to introduce
**assegurar** to assure, to guarantee
**até muito distante** far out
a **atração** the attraction
o **bairro** the district, zone
a **companhia** the company
**compensar** to compensate for
**contente (de)** content, satisfied, glad (to)
a **desvantagem** the disadvantage
a **diversidade** the diversity
o **divertimento** the amusement
**doente** sick, ill
**duvidar** to doubt
**escavar** to excavate, to cut out

o **estrangeiro** the foreigner, the stranger
**forte** strong
**gozar de** to enjoy
**ligar** to connect, to join
**muitas vezes** often
**nadar** to swim
**é pena que** it is a pity that
**provável** probable
o **risco** the risk
a **rocha** the rock
**sentir** to be sorry
**surpreender** to surprise; **surpreende-me** I am surprised
**temer** to fear
**ter pena** to be sorry
o **túnel** the tunnel
o **turista** the tourist
**vamos + *infinitive*** let us . . .

## EXERCISES

**A.** *Read.*  Fico contente que o senhor Martins vá passar algum tempo êste verão no Rio.  Asseguro que vai divertir-se muito. Tenho muitos amigos alegres a quem apresentá-lo.  E além da boa companhia poderá gozar dos teatros e cinemas, que estão abertos tôdas as noites.  Espero que irá muitas vezes a Copacabana para tomar banhos de mar.  Copacabana é uma famosa praia do Rio de Janeiro e é hoje o centro de atração de turistas e estrangeiros.

O mar em Copacabana é muito forte e não se pode nadar até muito distante sem grandes riscos.  Mas a diversidade de divertimentos da praia compensam essa desvantagem.

O bairro de Copacabana é ligado à cidade do Rio por dois grandes túneis escavados na rocha.

**B.** *Answer in Portuguese.*  1. Você fica contente que o senhor Martins vá passar algum tempo no Rio?  2. Você crê que se divertirá no Rio?  3. Apresentá-lo-á a seus amigos?  4. Você tem muitos amigos no Rio?  5. Os cinemas do Rio estão abertos no verão? 6. Por que irá o senhor Martins a Copacabana?  7. O que é Copacabana?  8. Pode-se nadar em Copacabana?  9. Há outros divertimentos em Copacabana?  10. Por onde se vai a Copacabana?

**C.** *Translate the English words.*  1. Tenho pena que seu irmão *is* doente.  2. Fico contente que o senhor *will come* ver-nos.  3. Duvido que êles *know* o nome do senhor.  4. É possível que êle *will read* a notícia no jornal.  5. É pena que João *is not* aquí.  6. Aconselho--lhes que *take a walk* no parque.  7. Não estou certo de que João *has* os livros.  8. Sinto muitíssimo que os senhores *cannot* ler o espanhol. 9. Quero *you to see* minha casa.  10. Quero *to see* sua casa.

**D.** *Translate.*  1. Prefiro que se vão imediatamente.  2. Queremos que nos dê o dinheiro.  3. João deseja que venhamos imediatamente.  4. Êle quer que o filho diga sempre a verdade.  5. Esperam que estejamos contentes de ficar nesta cidade.  6. Quero que saibam a verdade.  7. Proíbem que dêmos um passeio no jardim.  8. Quero ir-me embora mas não quero que êle se vá.  9. Ela manda que os alunos dêem os jornais aos pais. 10. Êles querem que vejamos sua casa. 11. Pede que leiamos o jornal todos os dias. 12. Queremos que você ponha a cadeira atrás da mesa. 13. Dizem que ponhamos os livros sôbre a mesa. 14. Peço-lhe para vir ver-me.

**E.** *Translate.* 1. Sentimos que o senhor não possa vir ver-nos. 2. Surpreende-me que êle não venha hoje. 3. O senhor crê que o professor venha cedo? 4. Não creio que venha cedo. 5. Não é provável que João aprenda português em tão pouco tempo. 6. É preciso que estudemos muito. 7. Esperamos estar aquí amanhã. 8. Temo que os alunos não saibam a lição. 9. Não é certo que João venha. 10. Ficamos contentes que não estejam doentes. 11. Tenho pena que o professor não venha hoje. 12. É certo que João me dará o seu livro. 13. Preferimos que o senhor fale francês. 14. É pena que não possamos ficar. 15. Vamos comer. 16. Vamos enviar-lhe a carta.

**F.** *Translate.* 1. I want you to tell me the truth. 2. He orders us to give the newspapers to the pupils. 3. I ask him to go away. 4. We advise you to read the newspapers. 5. He is sorry that you will not get up early. 6. It is necessary for you to go to bed at once. 7. She is glad that you are studying Portuguese. 8. I am surprised that you do not speak English. 9. He does not believe that I read Portuguese. 10. His father wants him to learn Portuguese. 11. We do not doubt that you know your lesson. 12. It is true that he is working hard. 13. I am afraid that John will not come. 14. We hope that he will be here tomorrow. 15. Let us drink all the wine. 16. He is surprised that I do not speak Spanish. 17. He tells us to put the books on the table. 18. We advise you to study Portuguese. 19. She asks him not to come late. 20. I prefer to study Spanish.

# Lesson XX

**79. Orthographic-changing verbs.** In order to make the spelling correctly represent the unchanging sound of a stem ending, it is necessary to change

**c** (hard) to **qu** before **e**

|  | PRETERIT | PRES. SUBJ. |
|---|---|---|
| ficạr: | fiquẹi, ficạste, etc. | fịque, fịques, etc. |

**g** (hard) to **gu** before **e**

|  | PRETERIT | PRES. SUBJ. |
|---|---|---|
| chegạr: | cheguẹi, chegạste, etc. | chẹgue, chẹgues, etc. |

**g** (soft) to **j** before **o** and **a**

|  | PRES. IND. | PRES. SUBJ. |
|---|---|---|
| corrigịr: | corrịjo, corrịges, etc. | corrịja, corrịjas, etc. |

**gu** to **g** before **o** and **a**

|  | PRES. IND. | PRES. SUBJ. |
|---|---|---|
| seguịr [1]: | sịgo, sẹgues, etc. | sịga, sịgas, etc. |

**ç** to **c** before **e**

|  | PRETERIT | PRES. SUBJ. |
|---|---|---|
| começạr: | comecẹi, começạste, etc. | comẹce, comẹces, etc. |

**c** to **ç** before **o** and **a**

|  | PRES. IND. | PRES. SUBJ. |
|---|---|---|
| esquecẹr: | esquẹço, esquẹces, etc. | esquẹça, esquẹças, etc. |

**80. Future subjunctive.** The future subjunctive is formed by dropping the last syllable **-ram** of the third plural preterit indicative and adding **-r, -res, -r, -rmos, -rdes, -rem.**

[1] Note that **seguir** is also a radical-changing verb conjugated like **servir.**

103

| Inf. | falạr | aprendẹr | partịr | dizẹr | sẹr and ịr |
|------|-------|----------|--------|-------|------------|
| 3d pl. pret. ind. | falạ-ram | aprendẹ-ram | partị-ram | dissẹ-ram | fọ-ram |

| Future subj. | falạ-r | aprendẹ-r | partị-r | dissẹ-r | fô-r |
|------|-------|----------|--------|-------|------|
| | falạ-res | aprendẹ-res | partị-res | dissẹ-res | fọ-res |
| | falạ-r | aprendẹ-r | partị-r | dissẹ-r | fô-r |
| | falạ-rmos | aprendẹ-rmos | partị-rmos | dissẹ-rmos | fọ-rmos |
| | falạ-rdes | aprendẹ-rdes | partị-rdes | dissẹ-rdes | fọ-rdes |
| | falạ-rem | aprendẹ-rem | partị-rem | dissẹ-rem | fọ-rem |

**81. Use of subjunctive (continued).** The subjunctive is used in adverbial clauses introduced by certain subordinating conjunctions.

1. Conjunctions of time requiring the subjunctive when the verb refers to the future.

| quạndo | *when* | enquạnto (que) | *while* |
|--------|--------|----------------|---------|
| ạntes que | *before* | ao pạsso que | *while* |
| depọis que | *after* | lọgo que | *as soon as* |
| até que | *until* | assịm que | *as soon as* |

Estarei aquí até que acabe o trabalho.     *I shall be here until he finishes the work.*

a) The future subjunctive is generally used instead of the present subjunctive after **quando, enquanto (que), assim que, logo que,** and **depois que.**

Ir-me-ei embora quando chegar.     *I shall leave when he arrives.*

2. Conjunctions of concession requiring the subjunctive.

| ạinda que | *although* | embọra | *although* |
|-----------|-----------|--------|-----------|
| pôsto que | *although* | | |

Não saïrei ainda que não chova.     *I shall not go out although it may not rain.*

3. Conjunctions of condition, denial, and purpose requiring the subjunctive.

| CONDITION | | DENIAL | |
|---|---|---|---|
| **contanto que** | *provided* (*that*) | **sem que** | *without* |
| **(no) caso (que)** | *in case* (*that*) | PURPOSE | |
| **a menos que** | *unless* | **para que** | *so that, in order that* |
| **a não ser que** | *unless* | **de modo que** | *so that* |

| | |
|---|---|
| **Dar-lhe-ei o dinheiro contanto que faça o trabalho.** | *I shall give him the money provided he does the work.* |
| **Irei sem que êle o saiba.** | *I shall go without his knowing it.* |
| **Dar-lhe-ei um guarda-chuva para que não se molhe.** | *I shall give you an umbrella so that you will not get wet.* |

a) When result rather than purpose is expressed, the indicative is used.

| | |
|---|---|
| **Dei-lhe um guarda-chuva de modo que não se molhou.** | *I gave you an umbrella so that (with the result that) you did not get wet.* |

## VOCABULARY

a **alfaiataria** the tailor shop
o **alfaiate** the tailor
  **algo** something
a **amostra** the sample
o **automóvel** the automobile
o **bonde** the trolley car
  **chegar** to arrive; **chegar a casa** to arrive home
  **chover** to rain
  **conseguir** to get, obtain
a **conta** the bill
a **côr** the color
  **corrigir** to correct
  **descer** to go down; to get off
  **direito** (*adv.*) straight
a **escada** the stairs
  **esquecer (-se de)** to forget
o **exemplo** the example
o **exercício** the exercise
a **fazenda** the cloth
  **igual a** like, similar to

**ir a pé** to walk
a **lã** the wool
o **largo** the public square
  **lembrar -se de** to remember
  **levar** to wear
a **linha** the line; a **linha de bonde** trolley line
  **mostrar** to show
  **pagar** to pay
o **ponto final** the terminus
  **pouco -a** little
a **praça** the public square
a **prova** the proof
  **ràpidamente** rapidly, fast
  **saltar** to get off
  **seguir** to follow
  **subir** to go up, come up; **subir para** to get on *or* into (*a vehicle*)
  **sul** southern
o **têrno** the suit (of clothes)
a **zona** the zone

## EXERCISES

**A.** *Read.* José—Você não quer que comamos no hotel antes de ir fazer compras?

João—Irei com você comer algo, ainda que esteja com pouca vontade.

José—Depois que comermos, eu o levarei à alfaiataria da rua Uruguaiana. Quero que o alfaiate me dê amostras de lã igual a fazenda dêste terno que levo, mas de côres diferentes.

João—Iremos a pé, a menos que chova. Quando tomo o bonde, salto no Tabuleiro da Baiana. Sabe que o Tabuleiro da Baiana é o ponto final das linhas de bonde da zona sul. Acha-se no Largo da Carioca.

**B.** *Answer in Portuguese.* 1. Que quer fazer João antes que os rapazes vão fazer compras? 2. João está com fome? 3. Para onde vão na rua Uruguaiana? 4. O que José deseja fazer alí? 5. Os rapazes irão a pé à rua Uruguaiana? 6. O que é o Tabuleiro da Baiana? 7. Onde se acha?

**C.** *Translate the English words.* 1. Estará aquí quando nós *arrive*. 2. Virei amanhã caso *the weather is good*. 3. Não aprende ràpidamente ainda que *he studies* muito. 4 Desejo *you to follow me* com seu automóvel. 5. Êles se irão sem que *our knowing it*. 6. Virá ver-me amanhã a menos que *he forgets*. 7. Comerei depois que *he eats*. 8. Conseguirá os livros contanto que *he pays* a conta. 9. Darei dinheiro a João para que *he can* tomar o bonde. 10. Chamarei você assim que o médico *arrives*.

**D.** *Translate.* 1. Êle deseja que fiquemos em casa. 2. Cheguei a casa muito tarde. 3. Corrijo as provas do meu livro. 4. Levante-se cedo e siga o exemplo dos meus alunos. 5. Aconselham--nos que comecemos a preparar a nossa lição para amanhã. 6. O professor diz que não esqueçamos os nossos livros. 7. Quero que desçam a escada imediatamente. 8. Conheço todos os seus amigos. 9. Quer que paguemos o dinheiro que devemos. 10. Desça do automóvel e suba para o bonde.

**E.** *Translate.* 1. Fico em casa até que deixe de chover. 2. Escreva-me uma carta assim que voltar. 3. Não vou ao teatro a menos que o senhor vá comigo. 4. Depois que terminar o livro, dar-lho-ei. 5. Caso chova, não poderemos dar um passeio. 6. Pagar-lhe-emos, contanto que termine o trabalho hoje. 7. Os alunos não aprendem muito a menos que corrijamos os exercícios. 8. Não podemos partir sem que o permitam. 9. Logo que descermos do bonde, iremos para a praia. 10. Subimos a escada para que João nos mostre a sua biblioteca. 11. Não aprenderá o inglês ainda que estude muito. 12. Diga-lhe que venha ver-me, caso se lembre de mim. 13. Deitar-se-á assim que voltar para casa.

**F.** *Translate.* 1. Tell John to go straight to the station as soon as his sister gets out of the automobile. 2. He does not learn English, although he studies it a great deal. 3. I want you to follow the example of my pupils when you study Portuguese. 4. He will not go to bed early, although he arrives home before ten o'clock. 5. Unless you remember your lesson, they will not allow you to go to the theater. 6. In case the weather is fine, he will take a walk in the garden. 7. They will tell the truth provided they know you. 8. It will not be a good book unless you correct the proofs. 9. I shall repeat those sentences so that you do not forget them. 10. He will come up to see you as soon as he returns. 11. I cannot show him my books unless he arrives before six o'clock. 12. He will learn to write Portuguese provided he does the exercises of each lesson. 13. When he arrives home, I shall tell him to go at once to his library. 14. As soon as you correct the proofs, he will pay you the money. 15. Although he works hard, he will never learn much. 16. I shall stay home in case it rains. 17. Stay home and correct the proofs. 18. She will not go with him, unless he pays the bill. 19. I will not eat until they arrive. 20. You will not learn Portuguese, unless you study hard.

# Lesson XXI

**82. Pluperfect indicative.** The pluperfect indicative is formed by dropping the last syllable, **-ram,** of the third plural preterit indicative and adding **-ra, -ras, -ra, -ramos, -reis, -ram.** The vowel preceding **-ramos** and **-reis** takes a written accent. This accent is acute in all verbs except regular verbs of the second conjugation and **ser** (and **ir**), where it is circumflex.

| Inf. | falạr | aprendẹr | partịr | dizẹr | sẹr and ịr |
|---|---|---|---|---|---|
| 3d pl. pret. ind. | falạ-ram | aprendẹ-ram | partị-ram | dissẹ-ram | fọ-ram |
| Pluperf. ind. | falạ-ra | aprendẹ-ra | partị-ra | dissẹ-ra | fô-ra |
| | (falạ-ras) | (aprendẹ-ras) | (partị-ras) | (dissẹ-ras) | (fọ-ras) |
| | falạ-ra | aprendẹ-ra | partị-ra | dissẹ-ra | fô-ra |
| | falá-ramos | aprendê-ramos | partí-ramos | dissé-ramos | fô-ramos |
| | (falá-reis) | (aprendê-reis) | (partí-reis) | (dissé-reis) | (fô-reis) |
| | falạ-ram | aprendẹ-ram | partị-ram | dissẹ-ram | fọ-ram |

**83. Part participle.** The past participle is formed by dropping the ending of the infinitive and adding **-ado** to verbs of the first conjugation and **-ido** to all other verbs.

| Inf. | fal-ạr | aprend-ẹr | part-ịr |
|---|---|---|---|
| Past part. | fal-ạdo | aprend-ịdo | part-ịdo |

1. Some verbs have irregular past participles.

abrịr: abẹrto  *opened*
cobrịr: cobẹrto  *covered*
descobrir: descobẹrto  *discovered*
dizẹr: dịto  *told*
escrevẹr: escrịto  *written*

morrẹr: *to die*: mọrto  *died*
fazẹr: fẹito  *made, done*
pôr: pôsto  *put, placed*
vịr: vịndo  *come*
vẹr: vịsto  *seen*

2. Some verbs of the first conjugation have shortened past participles.

108

entregar: entregue   *delivered*         ganhar: ganho   *earned*
gastar: gasto   *spent*                  pagar: pago   *paid*

**84. Compound past tenses.** 1. The perfect indicative is formed with the present indicative of **ter** and the past participle.

| | |
|---|---|
| tenho falado | temos falado |
| (tens falado) | (tendes falado) |
| tem falado | têm falado |

2. The perfect subjunctive is formed with the present subjunctive of **ter** and the past participle.

| | |
|---|---|
| tenha falado | tenhamos falado |
| (tenhas falado) | (tenhais falado) |
| tenha falado | tenham falado |

3. The compound pluperfect indicative is formed with the imperfect indicative of **ter** or **haver** and the past participle.

| | |
|---|---|
| tinha falado | havia falado |
| (tinhas falado) | (havias falado) |
| tinha falado | havia falado |
| tínhamos falado | havíamos falado |
| (tínheis falado) | (havíeis falado) |
| tinham falado | haviam falado |

4. The pluperfect subjunctive is formed with the imperfect subjunctive of **ter** or **haver** and the past participle.

| | |
|---|---|
| tivesse falado | houvesse falado |
| (tivesses falado) | (houvesses falado) |
| tivesse falado | houvesse falado |
| tivéssemos falado | houvéssemos falado |
| (tivésseis falado) | (houvésseis falado) |
| tivessem falado | houvessem falado |

**85. Use of perfect indicative.** The perfect indicative is used much less in Portuguese than in other Romance languages. While the preterit indicative expresses a simple action or state in the recent or the remote past (section 41) and the imperfect indicative a continuing, repeated, or habitual action or state in a completely elapsed past (section 61), the perfect indicative expresses a continuing or repeated action or state in a past that is felt to be somewhat merged into the present. The nearest English equivalent is perhaps the perfect progressive.

| | |
|---|---|
| Êle tem-me escrito | *He has been writing to me.* |
| Tenho estado em Lisboa. | *I have been staying in Lisbon.* |

**86. Use of pluperfect indicatives.** The time of the pluperfect is past from the point of view of the past. The simple pluperfect (section 82) is used much less frequently than the compound pluperfects (section 84) particularly in the third person plural, where either of the compound forms is always preferred because the simple form is identical with the third plural of the preterit indicative.

The commonest pluperfect and the one that is always used colloquially is the one formed with **tinha**.

| | |
|---|---|
| **Não tinham aprendido o português.** | *They had not learned Portuguese.* |

**87. The imperfect of *acabar de*.** As the present tense of **acabar de** has the force of a past tense (section 29), the imperfect has the force of a pluperfect tense.

| | |
|---|---|
| **Acabava de chegar.** | *He had just arrived.* |

**88. The diminutive *-inho*.** The diminutive **-inho -a** is widely used in Portuguese, with values that are hard to define.

| | | | |
|---|---|---|---|
| lição | *lesson* | liçãozinha | *little bit of a lesson* |
| cedo | *early* | cedinho | *pretty early* |
| devagar | *slow, slowly* | devagarinho or devagarzinho | *slow and easy* |
| só | *alone* | sòzinho | *all alone* |
| culpado | *guilty, to blame* | culpadinho | *somewhat to blame* |
| bocado | *piece, bit* | bocadinho | *little bit; little while* |

## VOCABULARY

os **Açôres** the Azores

a **América** America

o **andar** the floor; o **primeiro andar** the second floor; o **andar térreo** the ground floor, the first floor

o **avião** the airplane

o **bôlso** the pocket

o **café** the coffee; the breakfast; o **café da manhã** the breakfast

a **carne** the meat

**caro** (*adv.*) dear

**chegar a** to amount to; **chegar para** to be enough to *or* for

**Colombo** Columbus

**consertar** to mend, repair

a **criada** the maid

o **criado** the servant

**custar** to cost

**defronte** opposite, across the street

a **descoberta** the discovery

o **descobridor** the discoverer

o **empregado** the clerk, the salesman

a **farmácia** the drugstore

**fechar** to close, to shut

a **gravata** the necktie

o **grupo** the group

a **ilha** the island

**levar** to take (*of time*)

**mandar** to have, cause

o **mar** the sea

**não é (assim)?** is it not so?

**pertencer** to belong

o **português** the Portuguese

o **prédio** the building, the property

**quanto tempo?** how long?

**sòmente** only

a **travessia** the crossing

**tudo** everything, all

**ùltimamente** lately

## EXERCISES

**A.** *Read.* Os Açôres são um grupo de nove ilhas no Oceano Atlântico que pertencem a Portugal. Foram descobertas pelos portugueses no ano de mil ⚓ quatrocentos e trinta e um, mais de sessenta anos antes da descoberta da América por Colombo. A cidade da Horta na ilha do Fayal é conhecida hoje por ser um pôrto importante dos famosos aviões "Clipper," que levam sòmente dezoito horas para fazer a travessia de Nova York a Lisboa.

**B.** *Answer in Portuguese.* 1. O que são os Açôres? 2. Quem os descobriu? 3. Em que ano foram descobertos? 4. O que é a Horta? 5. Quanto tempo levam os aviões para fazer a travessia do mar?

**C.** *Translate the English words.* **1.** Maria *has been studying* o português e o espanhol. **2.** José *had left* quando eu cheguei. **3.** A carta *was written* pelo amigo do professor. **4.** A conta *was paid* pela criada. **5.** João *had just* comer. **6.** Êles *have lived* comigo muito tempo mas partiram para a Europa a semana passada. **7.** Nós *have told him* a verdade muitas vezes mas não nos tem acreditado. **8.** Elas *had arrived* cedo. **9.** Estou certo que José *has been studying*.

**D.** *Translate.* **1.** O senhor tem morado em Nova York, não é assim? **2.** Sim, senhor, tenho morado em Nova York e meu irmão tem morado comigo. **3.** O meu quarto tem sido no primeiro andar e devo subir ao segundo andar para tomar um banho. **4.** Êle tinha consertado o automóvel? **5.** Sim, tinha-o consertado e pudemos partir às sete da manhã. **6.** Aquêle rapaz tem gasto muito dinheiro ùltimamente. **7.** Tínhamos aprendido (*or* aprendêramos) muito naquela classe. **8.** A carta foi escrita por um senhor que você não conhece. **9.** Êste livro é vendido naquela loja; vendem-no alí. **10.** Êste livro está vendido, você não pode comprá-lo. **11.** Tínhamos dado um passeio no jardim antes das seis. **12.** As janelas foram fechadas pelos criados. **13.** Haviam saído quando chegamos. **14.** Tudo foi perdido.

**E.** *Translate.* **1.** A farmácia é no andar térreo. **2.** O chá que temos não chega para tôda essa gente. **3.** Só chega para cinco pessoas. **4.** Levantaram-se cedinho. **5.** Essa moça fala devagarinho. **6.** É um prédio de cinco andares. **7.** Vou mandar consertar meus sapatos. **8.** O alfaiate consertou o meu terno. **9.** Tenho que descer ao andar térreo para tomar o café da manhã. **10.** Pedí ao empregado para me mostrar as gravatas. **11.** Comprei algumas. **12.** A conta chegou a dois dólares. **13.** Tudo naquela loja custa muito caro. **14.** As farmácias norte-americanas vendem de tudo. **15.** Deram-me um bocadinho de carne. **16.** Espere aquí um bocadinho.

**F.** *Translate.* **1.** The doors were opened by the maid. **2.** They had paid the bill when I came down. **3.** You had your shoes mended, did you not? **4.** Yes, I had my shoes mended and my suit repaired. **5.** We have been working in New York. **6.** That building has four floors. 7. The weather has been bad lately. 8. The money I had in my pocket was not enough to pay the bill. 9. I had told him not to come. 10. You must get up pretty early if you wish to go with us. 11. Did you buy any books today? 12. Yes, I bought some; I have been buying books every day. 13. I studied a little bit this morning. 14. I have been living in the hotel across the street. 15. He has been spending a great deal of money lately. 16. She had worked all morning and was very tired. 17. They had bought the tickets early. 18. They had asked the professor to show them his books. 19. I had taken breakfast at five o'clock. 20. He knew that he was somewhat to blame. 21. Everything is dear today. 22. They had just left.

# Lesson XXII

**89. Conjugation of** *perder* *to lose, miss.*

| | |
|---|---|
| pęrco | perdęmos |
| (pęrdes) | (perdęis) |
| pęrde | pęrdem |

The present subjunctive is, of course, derived in the regular way from the first singular present indicative: **pęrca, pęrcas,** etc.

**90. Imperfect subjunctive.** The imperfect subjunctive is formed by dropping the last syllable, **-ram,** of the third plural preterit indicative and adding **-sse, -sses, -sse, -ssemos, -sseis, -ssem.** The vowel preceding **-ssemos** and **-sseis** takes a written accent. This accent is acute in all verbs except regular verbs of the second conjugation and **ser** (and **ir**), where it is circumflex.

| Inf. | falạr | aprendẹr | partịr | dizẹr | sẹr and ịr |
|---|---|---|---|---|---|
| 3d pl. pret. ind. | fala-ram | aprendẹ-ram | partị-ram | dissẹ-ram | fọ-ram |
| Imperf. subj. | falạ-sse | aprendẹ-sse | partị-sse | dissẹ-sse | fô-sse |
| | (falạ-sses) | (aprendẹ-sses) | (partị-sses) | (dissẹ-sses) | (fô-sses) |
| | falạ-sse | aprendẹ-sse | partị-sse | dissẹ-sse | fô-sse |
| | falá-ssemos | aprendê-ssemos | partí-ssemos | dissé-ssemos | fô-ssemos |
| | (falá-sseis) | (aprendê-sseis) | (partí-sseis) | (dissé-sseis) | (fô-sseis) |
| | falạ-ssem | aprendẹ-ssem | partị-ssem | dissẹ-ssem | fô-ssem |

**91. Sequence of tenses.** 1. If the main verb of a sentence is in the present tense, a dependent subjunctive is in the present if it refers to present or future time, in the imperfect or the perfect if it refers to past time.

| | |
|---|---|
| Sinto muito que êle não venha. | *I am sorry he is not coming* (or *will not come*). |
| Sinto muito que êle não viesse. | *I am sorry he did not come.* |
| Sinto muito que êle não tenha vindo. | *I am sorry that he has not come.* |

114

2.  If the main verb of a sentence is in any past time, a dependent subjunctive is in the imperfect if the time it refers to is simultaneous with or subsequent to the time of the main verb, in the pluperfect subjunctive if the time it refers to is prior to the time of the main verb.

| | |
|---|---|
| **Sentí que êle não viesse.** | *I was sorry that he was not coming* (or *would not come*). |
| **Sentí que êle não tivesse vindo.** | *I was sorry that he had not come.* |

**92. Use of subjunctive (continued).**  The subjunctive is used in adjective clauses introduced by a relative pronoun to indicate that the antecedent is indefinite or nonexistent.

| | |
|---|---|
| **Procuro uma criada que fale francês.** | *I am looking for a maid who speaks French.* |
| **Não conheço ninguém aquí que fale português.** | *I do not know anyone here who speaks Portuguese.* |

a) The future subjunctive is sometimes used instead of the present in adjective clauses of this kind.

| | |
|---|---|
| **Tôda a pessoa que chegar antes das oito fica convidada a jantar.** | *Any person who arrives before eight o'clock is invited to dinner.* |

**93. Negatives.**

| | | | |
|---|---|---|---|
| **ninguém** | *nobody, no one* | **nada** | *nothing, not anything* |
| **nenhum, nenhuma, nenhuns,** | | **nunca** | *never* |
| **nenhumas** | *no, not any* | **nem . . . nem** | *neither . . . nor* |

When these negatives follow the verb, **não** must precede it.

| | |
|---|---|
| **Ninguém estava alí.** ⎫<br>**Não estava alí ninguém.** ⎭ | *No one was there.* |

## VOCABULARY

acomodar-se to adapt oneself
antes (*adv.*) before
assim so, thus
o brasileiro[2] the Brazilian
cantar to sing
o chá the tea
o costume the custom
encetar to begin; to establish
encontrar to meet; to find
ensinar to teach
a Espanha Spain
fàcilmente easily

gostar de to like
o guarda-chuva the umbrella
procurar to try; to look for, seek
quanto antes as soon as possible
a relação the relation, the contact
ter pressa (de) to be in a hurry (to)
ir ter com to go to, go to see, apply to
viajar to travel
a vida the life
vir a to come to, happen to

## EXERCISES

**A.** *Read.* O meu pai desejou que aprendêssemos português quando éramos jovens. Procurou um brasileiro que pudesse ensinar-nos a língua. Assim é que viemos a conhecer o senhor Martins. Além de ensinar-nos a língua, contou-nos muita coisa [1] sôbre a vida brasileira. É pena que não fôssemos antes ao Brasil. Estou certo porém de que quando lá formos, poderemos acomodar-nos muito fàcilmente aos costumes brasileiros. Logo que chegarmos ao Rio, procuraremos encetar boas relações com todos os brasileiros que encontrarmos.

**B.** *Answer in Portuguese.* 1. Como é que os senhores aprenderam português quando eram jovens? 2. Quem lhes ensinou português? 3. Sabem alguma coisa sôbre a vida brasileira? 4. Contam acomodar-se fàcilmente aos costumes brasileiros? 5. O que vão fazer logo que chegarem ao Rio?

**C.** *Translate the English words.* 1. Não havia ninguém na loja que *spoke* inglês nem francês. 2. Eu temia que o senhor *would not*

[1] Adjectives of nationality are not capitalized in Portuguese when used as nouns.

[2] Singular nouns often have plural meaning when modified by **muito, tanto,** and **todo.**

*come.* 3. Fico contente que *he did not miss* o trem. 4. Desejava *you to write me* uma carta. 5. Trouxe-lhe um lapis para que *you would be able* escrever os exercícios. 6. Sentia muito que o senhor *did not know* meu amigo. 7. Eu disse a João *to come up* ao meu quarto. 8. Procurava um professor que *could* ensinar-me o português. 9. Eu não acreditava que êle *would come.* 10. Eu ficava contente que você *were learning* português.

**D.** *Translate.* 1. Perdeu muito dinheiro no ano passado. 2. Aconselho-lhe que não perca o trem das oito. 3. Fui ter com o professor para saber o número da próxima lição. 4. O senhor gosta de chá? 5. Gosto, sim. 6. Gostamos de viajar. 7. Temos pressa de terminar êsse trabalho. 8. Sempre tem grande pressa. 9. Hei--de ir ter como o professor amanhã. 10. Gosto muito de Lisboa. 11. Não se apresse tanto. 12. Encontrei êste lapis no seu quarto. 13. Fêz uma viagem à Espanha.

**E.** *Translate.* 1. Desejava que viesse ver-me ontem. 2. Aconselharam-nos que nos vestíssemos imediatamente. 3. Não permití que bebessem essa água. 4. O médico disse que não bebêssemos tanto vinho. 5. Não acreditei que o fizesse. 6. Êle queria que pagássemos o dinheiro que devíamos. 7. Levei o guarda-chuva, caso chovesse. 8. Êle não queria cantar ainda que estivesse feliz. 9. Fico muito contente que êle se fôsse embora. 10. Disse-lho para que soubesse a verdade. 11. Foi-se embora sem que ninguém o visse. 12. João sentiu que não pudéssemos vir esta manhã. 13. Mandaram que fôssemos ter com o professor amanhã. 14. Tinha pressa de lhe dizer que viesse quanto antes. 15. Não havia ninguém alí que me conhecesse. 16. Procuro um professor que me ensine o português. 17. Sentí que Maria não tivesse vindo.

**F.** *Translate.* 1. I did not want you to miss the train. 2. The doctor told us not to eat so much. 3. They wanted us to tell them the truth. 4. No one could enter the city without his permitting it. 5. He did not like to sing because he was not happy. 6. They did not allow me to go to see the professor. 7. He would not take tea, although he was very tired. 8. They ordered us to finish our work

as soon as possible.   9. I told him to go to see the doctor at once.
10. He advised me to travel.   11. I am glad that he took an umbrella with him when he went to the theater.   12. We were afraid
that you would miss the train.   13. We were looking for a man who
could speak Spanish.   14. She was glad that they had arrived.
15. It was possible that he had forgotten the money.   16. I wanted
him to study Portuguese.   17. He was glad that they went away.
18. They wanted me to teach them Spanish.   19. Nobody knew
him.   20. I am sorry that he has been sick lately.   21. They
wanted her to learn Portuguese.   22. We told them to bring their
books with them.   23. He said that he would be here when I
arrived.   24. The doctor ordered me to take a trip.

# Lesson XXIII

**94. Present indicative of** *ouvir to hear* **and** *cair to fall.*

| | |
|---|---|
| ouço and oiço | caio |
| ouves | cais |
| ouve | cai |
| ouvimos | caímos |
| ouvís | caís |
| ouvem | caem |

The verb **sair** *to go out* is conjugated like **cair.**

**95. Conditional.** The conditional is formed by adding to the infinitive the endings **-ia, -ias, -ia, -íamos, -íeis,** and **-iam.**

| | |
|---|---|
| falaria | falaríamos |
| (falarias) | (falaríeis) |
| falaria | falariam |

a) The conditionals of the verbs **dizer, fazer,** and **trazer** are formed on shortened infinitives: **diria, faria,** and **traria.** See section 63 a.

b) The position of pronouns with the conditional is the same as their position with the simple future (section 64).

**96. Conditional sentences.** Conditional sentences are made up of two parts, an if-clause, which is the dependent clause, and a conclusion, which is independent and contains the main verb.

1. When the if-clause refers to the present or past and is not contrary to fact, the indicative is used in both parts of the sentence and there is no special construction to be learned.

| | |
|---|---|
| **Se tem dinheiro, dá-mo.** | *If he has any money, he gives it to me.* |
| **Se veio ontem à noite, não o sabia.** | *If he came last night, I did not know it.* |

119

2. When the if-clause expresses pure condition in the future, the future subjunctive is used in the if-clause and the future indicative in the conclusion.

**Se vier ver-me, falar-lhe-ei.**  *If he comes to see me, I shall speak to him.*

3. When the if-clause expresses doubtful condition in the future, the imperfect subjunctive is used in the if-clause and the present conditional in the conclusion.

**Se viesse ver-me, eu lhe falaria.**  *If he should come to see me, I should speak to him.*

a) The imperfect indicative is often used colloquially instead of the present conditional in such sentences.

**Se viesse ver-me, eu lhe falava.**  *If he should come to see me, I should speak to him.*

b) The imperfect indicative is often used colloquially in the softened expression of a wish and in a conclusion without an if-clause, instead of the conditional.

**Desejava estudar o espanhol.**  *I should like to study Spanish.*
**Podia emprestar-lhe o dinheiro.**  *I could lend you the money.*

4. When the if-clause expresses condition contrary to fact in present time, the imperfect subjunctive is used in the if-clause and the present conditional in the conclusion.

**Se tivesse o dinheiro, faria uma viagem ao Brasil êste ano.[1]**  *If I had the money, I should take a trip to Brazil this year.*

a) The imperfect indicative is often used colloquially instead of the present conditional in such sentences.

[1] The simple pluperfect indicative (section 82) is sometimes used in the if-clause instead of the imperfect subjunctive and in the conclusion instead of the conditional.

| | |
|---|---|
| **Se tivesse o dinheiro, fazia uma viagem ao Brasil êste ano.** | *If I had the money, I should take a to Brazil this year.* |

5. When the if-clause expresses condition contrary to fact in past time, the pluperfect subjunctive is used in the if-clause and the past conditional in the conclusion.

| | |
|---|---|
| **Se tivesse tido o dinheiro, teria feito uma viagem ao Brasil no ano passado.** | *If I had had the money, I should have taken a trip to Brazil last year.* |

a) The construction for contrary to fact in present time is often used colloquially for past time.

| | |
|---|---|
| **Se tivesse o dinheiro, faria (or fazia) uma viagem ao Brasil no ano passado.** | *If I had had the money, I should have taken a trip to Brazil last year.* |

6. The word **se** meaning *whether* does not take the subjunctive.

| | |
|---|---|
| **Não sei se veio.** | *I do not know whether he came.* |
| **Não sei se virá.** | *I do not know whether he will come.* |
| **Não sabia se viria.** | *I did not know whether he would come.* |

a) The imperfect indicative is often used colloquially instead of the present conditional after **se** meaning *whether*.

| | |
|---|---|
| **Não sabia se vinha.** | *I did not know whether he would come.* |

## VOCABULARY

**aceitar** to accept
**adiante** ahead; **mais adiante** farther on
**agora que** now that
**amanhã de tarde** tomorrow afternoon
o **autor** the author
**bastante** enough
**cá** here
a **casa de campo** the country house
**casar (-se)** to get married
o **chão** the floor, the ground
o **convite** the invitation
a **demora** the delay
o **descanso** the rest
**descobrir** to discover
a **excursão** the trip
o **êxito** the success
**ficar com** to take (to choose in purchase or rent)

o fịm the end; **por fịm** finally
grạnde great
já nặo no longer
mạis farther
**Montevidéu** Montevideo
mudạr-se to move
nặo . . . mạis no longer
a ọbra the work
ouvịr to hear; **ouvịr dizẹr que** to
hear that
parecẹr to seem, look; **parecẹr-se
com** to resemble

o **prazẹr** the pleasure
o **prẹlo** the press; **no prẹlo** in press
a **publicaçặo** the publication
o **recrẹio** the recreation, the change
sạir to go out, come out, appear;
**sạir de casa** to go out of the
house, leave the house
tạntas vẹzes so often
tẹr notícias de to hear from
o **Uruguại** Uruguay
o vẹlho the old man

## EXERCISES

**A.** *Read.* Já estamos no Rio. Se fôssemos mais para o sul, chegaríamos a Santos, o grande pôrto de café do Estado de São Paulo e o segundo pôrto do Brasil. Depois, se descêssemos mais, chegaríamos à cidade de Antonina, pôrto do Estado do Paraná. Mais adiante daríamos com Florianópolis, capital do Estado de Santa Catarina; e por fim aportaríamos em Pôrto Alegre, que é a capital do Estado do Rio Grande do Sul. Depois do Rio Grande do Sul não é mais Brasil. Confinando com o Rio Grande do Sul encontra-se um país estrangeiro, que se chama Uruguai e cuja capital é Montevidéu. Alí se fala espanhol.

**B.** *Answer in Portuguese.* 1. Há quanto tempo estamos no Rio? 2. O que é Santos? 3. Onde está? 4. Onde está Antonina? 5. Onde se encontra Florianópolis? 6. Pôrto Alegre? 7. O que se encontra ao sul do Rio Grande do Sul? 8. Qual é a capital do Uruguai? 9. Que língua se fala no Uruguai?

**C.** *Read.* O amigo do autor—Ouví dizer que o seu livro está no prelo. Quando vai sair?

O autor—Há-de sair na próxima semana. Você quis que fizesse uma excursão em sua companhia ao campo na semana passada. Mas eu sabia que se não corrigisse as provas, o livro não estaria no prelo.

O amigo—Fico muito contente que não houvesse demora, porque há muita gente que pede o livro todos os dias. Estou certo de que terá grande êxito. Agora que a obra está terminada, você pode vir a minha casa de campo passar alguns dias de descanso e de recreio.

O autor—Aceito o convite com prazer.

**D.** *Answer in Portuguese.* 1. O livro do autor está no prelo? 2. Quando vai sair? 3. Porquê o autor não foi ao campo? 4. Houve demora na publicação do livro? 5. O que o autor vai fazer agora?

**E.** *Translate the English words.* 1. Poderá ir para o Brasil, se *you learn* a falar português. 2. Se o senhor *did not live* em Filadélfia, *you could not go* à praia tantas vezes. 3. Se eu *had had* tempo no ano passado, *I should have studied* francês. 4. *I heard* que Maria mora no Rio. 5. Se êle *comes* amanhã, eu lhe darei o dinheiro que lhe devo. 6. O senhor pode tomar o trem das oito, se *you wish.* 7. Ela *no longer* vem aquí. 8. Eu *would not eat* tanto, se *I were not* fome. 9. *I would give you* o meu livro, se *I had it* comigo. 10. Maria *resembles* sua mãe.

**F.** *Translate.* 1. Ouvimos dizer que João se mudou para o campo. 2. Gosta muito do campo. 3. Se tiver vontade, venha cá amanhã de manhã. 4. Tive notícias de meu irmão. 5. Parece-me que vai chover. 6. Ouço dizer que seu irmão vai se casar. 7. Vamo-nos mudar para a cidade. 8. O velho caiu no chão. 9. Saio tôdas as tardes depois das três. 10. Digo a João que não caia da árvore. 11. O senhor ouviu dizer que João não podia vir. 12. Maria acaba de sair de casa. 13. Esta obra está no prelo, vai sair na próxima semana. 14. João se parece com o pai.

**G.** *Translate.* 1. Se êle dissesse a verdade, eu o escutaria. 2. Se ninguém vier esta tarde, hei-de sair. 3. Se êle tivesse sabido que a casa era tão velha, ter-se-ia mudado. 4. Se tiver notícias dêle, dir-lho-ei. 5. Se o soubesse, saïria imediatamente. 6. Se o senhor tivesse o dinheiro, dava-mo? 7. Se o senhor não me dissesse isso, não o acreditaria. 8. Se fizer mau tempo, não saïremos. 9. Se eu não ouvisse dizer que João vinha, não ficaria. 10. Se o senhor não lesse as provas, o livro não estaria no prelo. 11. Se o professor fizer

a chamada, descobrirá que Maria não está na aula.   12. Não mora-
ria nesta casa, se me casasse.   13. Se o não virmos amanhã de
manhã, não esperaremos mais.   14. Não trabalho mais, se não me
pagarem.   15. Não sei se o fará.   16. Se eu casar, ficarei com esta
casa.   17. Êle não estaria doente, se não tivesse comido tanto.

**H.** *Translate.*   1. If it rains, I shall take a streetcar and get off
in front of the church.   2. If he calls me, I shall get up and dress
very fast.   3. He heard that I did not speak Spanish.   4. I would
not have moved, if I did not like the country.   5. We shall not go
tomorrow morning if he does not go with us.   6. They would get
married if they had enough money.   7. If she were tired, she would
go to bed.   8. I would go to sleep if I were tired.   9. If we come
early enough, he will take us with him.   10. He did not say whether
he would go with us.   11. If we had the time, we would go to the
theater with you this evening.   12. They do not have any books.
13. He never went to church with me.   14. He would not have
fallen on the ground if he had listened to me.   15. That book would
not be in press if we had not read the proofs.   16. She resembles her
mother.   17. I could teach you Portuguese.   18. I should have
studied Portuguese, if I had had the opportunity.   19. He would
like to buy some shoes.   20. If he has books, he reads.   21. If I had
enough money, I would take a trip to the country.

# Lesson XXIV

**97. Verbs ending in -*iar* and -*uar*.**   In verbs ending in **-iar** and **-uar,** the **i** and the **u** may be looked upon as the radical vowels; they are stressed in the whole singular and the third plural of the present indicative and present subjunctive.

| pronunciar | *to pronounce* | continuar | *to continue* |
|---|---|---|---|
| PRES. IND. | PRES. SUBJ. | PRES. IND. | PRES. SUBJ. |
| pronuncio | pronuncie | continuo | continue |
| (pronuncias) | (pronuncies) | (continuas) | (continues) |
| pronuncia | pronuncie | continua | continue |
| pronunciamos | pronunciemos | continuamos | continuemos |
| (pronunciais) | (pronuncieis) | (continuais) | (continueis) |
| pronunciam | pronunciem | continuam | continuem |

a)   In verbs ending in **-ear,** the **e** changes to **ei** when stressed.

| recear | *to fear* |
|---|---|
| PRES. IND. | PRES. SUBJ. |
| receio | receie |
| (receias) | (receies) |
| receia | receie |
| receamos | receemos |
| (receais) | (receeis) |
| receiam | receiem |

**98. Infinitive.**   Some verbs are followed by a dependent infinitive without a preposition, some take the preposition **a,** some take the preposition **de,** and some take other prepositions.   The corresponding verbs in English are sometimes followed by the verb form in *-ing* and sometimes by the preposition *to* plus the infinitive.

1.   Verbs which take no preposition before a dependent infinitive.

| | | | |
|---|---|---|---|
| **contar** | *to intend to, expect to* | **desejar** | *to desire to* |
| **decidir** | *to decide to* | **dever** | *to be bound to, must* |
| **deixar** | *to allow to, let* | **esperar** | *to hope to* |

fazer  *to make*
importar  *to be important to*
ir  *to go to*
mandar  *to order to; to have, cause to*
ouvir  *to hear, hear . . . -ing*
ser  (impersonal) + adj.  *to be . . . to*
parecer  *to seem to*
pensar  *to intend to*
permitir  *to permit to*
poder  *to be able to, can*

preferir  *to prefer to*
procurar  *to try to*
proïbir  *to forbid to*
prometer  *to promise to*
querer  *to wish to, want to*
recear  *to fear to, be afraid to*
saber  *to know how to, be able to*
temer  *to fear to*
tencionar  *to intend to*
ver  *to see . . . -ing*
vir  *to come to*

**Prometo estudar muito.**  *I promise to study hard.*

2. Verbs which take the preposition **a** before a dependent infinitive.

aconselhar a  *to advise to*
acostumar-se a  *to accustom one-self to*
ajudar a  *to help (to)*
aprender a  *to learn (how) to*
apressar-se a  *to hurry to*
começar a  *to begin to*
continuar a  *to continue to*
convidar a  (or **para**)  *to invite to*
decidir-se a  *to decide to*

ensinar a  *to teach (how) to*
obrigar a  *to oblige to*
pôr-se a  *to begin to*
preparar-se a  (or **para**)  *to prepare to, get ready to*
resolver-se a  *to decide to*
tardar a  *to be long in . . . -ing*
tornar a  *to . . . again*
vir a  *to happen to*
voltar a  *to . . . again*

**Ensinou-me a nadar.**  *He taught me to swim.*

3. Verbs which take the preposition **de** before a dependent infinitive.

acabar de  *to finish . . . -ing, have just + past participle*
acusar de  *to charge with . . . -ing*
cansar-se de  *to get tired of . . . -ing*
cessar de  *to cease . . . -ing*
deixar de  *to stop . . . -ing*

encarregar-se de  *to take charge of . . . -ing*
esquecer-se de  *to forget to*
gostar de  *to like to*
lembrar-se de  *to remember to*
parar de  *to stop . . . -ing*
precisar de  *to need to*

**Parou de falar.**  *He stopped talking.*

4. Verbs which take other prepositions before a dependent infinitive.

| | |
|---|---|
| hesitar em | *to hesitate to* |
| insistir em | *to insist on* . . . *-ing* |
| acabar por | *to finish by* . . . *-ing* |
| começar por | *to begin by* . . . *-ing* |
| pedir para | *to ask to* |

| | |
|---|---|
| Insisto em fazê-lo. | *I insist on doing it.* |
| Começou por cantar. | *He began by singing.* |
| Pediu-me para lhe ajudar. | *He asked me to help him.* |

**99. Personal infinitive.** The personal infinitive is an inflected infinitive which shows the person and number of the subject.

| | | | |
|---|---|---|---|
| falạr | aprendẹr | partịr | dizẹr |
| (falạres) | (aprendẹres) | (partịres) | (dizẹres) |
| falạr | aprendẹr | partịr | dizẹr |
| falạrmos | aprendẹrmos | partịrmos | dizẹrmos |
| (falạrdes) | (aprendẹrdes) | (partịrdes) | (dizẹrdes) |
| falạrem | aprendẹrem | partịrem | dizẹrem |

**100. Use of personal infinitive.** Because it is not ambiguous as to person and number, the personal infinitive is often used instead of the indicative or the subjunctive. It is accordingly often introduced by a preposition that corresponds to the subordinating conjunction which would introduce the indicative or the subjunctive. Thus in the first two sentences below, **por** is used instead of **porque** and **sem** instead of **sem que**.

| | |
|---|---|
| Peço-lhes dinheiro por serem êles ricos. | *I ask them for money because they are rich.* |
| Vieram aquí sem o sabermos. | *They came here without our knowing it.* |
| Não é preciso estudarmos hoje. | *We do not have to study today.* |

**101. *Ao* + infinitive.** **Ao** + the infinitive (personal or impersonal) is equivalent to English *on* . . . *-ing*.

Ao entrarmos no hotel, vimo-lo    *On entering the hotel, we saw*
sair.                             *him leaving.*

## VOCABULARY

acender to light
acentuar to accent
afastar-se to move away, go away
alumiar to illuminate, light up
apagar to put out, extinguish
apertar to press, squeeze
atingir to reach
aveludado -a velvety
a Bahia Bahia
baiano -a of Bahia
barbear to shave
a bôlsa the pocketbook
a calçada the sidewalk
a chegada the arrival
a colheita the harvest
colhêr to gather
colocar to place
copiar to copy
corretamente correctly
o crescimento the growth
o cuidado the care
a cultura the cultivation
a dúvida the doubt; sem dúvida
  doubtless
enrolar to roll
enviar to send
escolher to choose, select
exigir to require
a fábrica the factory
a fabricação the manufacture
o fumo the tobacco; fumo de corda
  roll tobacco

inteiro -a whole, entire
o jirau the frame, prop
a lâmpada the lamp
largo -a wide
a luz the light
a mão by hand
máximo -a maximum, full
o mêdo the fear; ter mêdo de to be
  afraid to
o mendigo the beggar
murchar to wilt
nativo -a native, indigenous
a planta the plant
por because of; por igual evenly
a preparação the preparation
presenciar to witness, be present
  at
ressequir to dry up
a roça the field, plowed field
o rôlo the roll
semear to sow
a sombra the shade
suspenso -a hung, hung up
o tabaco the tobacco
o trabalhador the workman
transformar to transform
um a um one by one
o uso the use
em vez de instead of
vulgarmente commonly, popularly

## EXERCISES

**A.** *Read.* A cultura do fumo exige muito cuidado. Primeiro, semeia-se a roça. Quando as plantas atingem o crescimento máximo, faz-se a colheita. As fôlhas do fumo são largas e aveludadas. São colhidas uma a uma e suspensas num jirau colocado à sombra. Devem murchar por igual, sem que fiquem ressequidas. Para a fabricação do fumo as fôlhas são enroladas e apertadas até se transformarem num rôlo; é o que vulgarmente se chama fumo de corda. Há muitas fábricas de charutos na Bahia. A preparação dêstes é diferente: as fôlhas são bem escolhidas e enroladas a mão pelos trabalhadores. Os charutos baianos são famosos no mundo inteiro.

O fumo ou o tabaco é nativo da América e o seu uso só foi introduzido na Europa depois da descoberta do Novo Mundo.

**B.** *Answer in Portuguese.* 1. Você sabe algo sôbre a cultura do fumo? 2. Sôbre a fabricação do fumo? 3. Onde no Brasil há muitas fábricas de charutos? 4. O que você sabe sôbre a fabricação de charutos? 5. Os charutos baianos são famosos? 6. De onde vem o tabaco? 7. Quando foi introduzido na Europa?

**C.** *Read.* Estava sentado à janela do meu quarto esta manhã, quando vi um homem descer a rua. O homem era sem dúvida um mendigo. Ao chegar diante da casa, apanhou alguma coisa que estava na calçada. Então se afastou ràpidamente. Mais tarde eu saí a procurá-lo, mas não tornei a vê-lo. É pena que não o pudesse achar; porque aquilo que êle apanhou na rua era a bôlsa que perdí ontem.

**D.** *Answer in Portuguese.* 1. Quem você viu descer a rua esta manhã? 2. Onde você estava? 3. O que o mendigo fêz quando chegou diante da casa? 4. Ficou alí muito tempo? 5. Você tornou a vê-lo? 6. O que era a coisa que o mendigo apanhou?

**E.** *In the following sentences, remove the dash entirely or replace it by* **a** *or* **de**. 1. Ajudou-me — aprender português. 2. Convidei o amigo — jantar comigo. 3. Começamos — trabalhar muito cedo. 4. João tarda — chegar. 5. Ouví — a sua irmã cantar ontem à noite.  6. Precisei $\overset{de}{-}$levantar-me antes das seis.  7. Apresse-se $\overset{a}{-}$ acabar o seu trabalho.  8. Não me lembrei $\overset{de}{-}$acender a lâmpada. 9. Não nos permite — fumar.  10. Ensinou-me $\overset{a}{-}$ falar português. 11. Procurei — fechar a porta.

**F.** *Translate.*  1. Como se pronuncia esta palavra?  2. Não sei como se pronuncia.  3. Quero que o senhor presencie a chegada dos soldados.  4. Mando que os alunos copiem os exercícios.  5. A lâmpada alumia tôda a aula.  6. Receio que não copiem corretamente as frases.  7. Êle continua seu trabalho.  8. Envia-me cartas tôdas as semanas.  9. Esta palavra não se acentua.  10. Quer que os alunos pronunciem apenas dez palavras.  11. Tenho pressa; quero que me barbeie ràpidamente.  12. Sei a pronúncia destas palavras.  13. Apague a luz imediatamente.

**G.** *Translate.*  1. Não sei o seu enderêço e devo escrever-lhe uma carta.  2. Ajudamos os alunos a pronunciar as palavras portuguêsas.  3. O professor os ensina a falar português.  4. Canso-me de estudar todo o tempo.  5. Não me deixa apagar a lâmpada. 6. Aprendemos a falar português.  7. Devemos lembrar-nos de fechar os nossos livros.  8. Convidei-o para tomar chá comigo. 9. Meu filho gosta muito de viajar.  10. Encarrego-me de lhe ensinar português.  11. Ouví-o falar francês.  12. Vi João descer do automóvel.  13. Ouvimos sua filha cantar.

**H.** *Translate.*  1. É preciso irmos embora.  2. Ajudo-lhes a aprender português.  3. Aconselha-nos a estudar apenas esta lição. 4. Entrou no quarto depois de eu acender a lâmpada.  5. Depois de se sentarem, tornaram a rir e a falar.  6. Nós escrevemos a carta em vez de êles a escreverem.  7. Não trabalham por serem muito ricos.

**I.** *Translate.*  1. They do not know how these words are pronounced.  2. I am afraid to wait here.  3. He continues to study hard.  4. We helped them to learn this lesson.  5. We taught them to pronounce difficult words.  6. They do not know how to sing. 7. I went instead of their going.  8. I sent him their address again. 9. He wants me to copy the exercises correctly.  10. We get tired of working all day.  11. We are getting ready to go to Rio.  12. She heard them arrive very late. 13. We asked them to sing. 14. He did only one exercise. 15. I always put out the light before going to bed. 16. He intended to shut the door but forgot to do it. 17. They are copying the exercises. 18. They are studying Portuguese again this year. 19. They left without coming to see me. 20. He never hesitates to tell the truth. 21. Shave me quickly; I do not wish to miss the train. 22. They invited me to visit them next summer.

# Lesson XXV

**102. Comparison of adjectives and adverbs.**  The comparative and superlative of adjectives and adverbs are formed by placing **mais** before the adjective or adverb.

| POSITIVE | COMPARATIVE AND SUPERLATIVE |
|---|---|
| rico  *rich* | mais rico  *richer, richest* |
| devagar  *slowly* | mais devagar  *more slowly, most slowly* |

Some adjectives and adverbs have irregular comparatives and superlatives.

| POSITIVE | COMPARATIVE AND SUPERLATIVE |
|---|---|
| bǫm  *good* | melhǫr  *better, best* |
| mạu  *bad* | piǫr  *worse, worst* |
| grạnde  *large* | maiǫr  $\begin{cases} larger, largest \\ greater, greatest \end{cases}$ |
| pequẹno  *small* | menǫr or mạis pequẹno  *smaller, smallest* |
| bẹm  *well* | melhǫr  *better, best* |
| mạl  *badly, poorly* | piǫr  *worse, worst* |
| mụito  *much; hard* | mạis  *more, most; harder* |
| pǫuco  *little* | mẹnos  *less, least* |
| pǫucos  *few* | mẹnos  *fewer, fewest* |

a) The sense generally requires the use of the definite article or a possessive adjective with the superlative in English and Portuguese.

| É o melhor aluno aquí. | *He is the best pupil here.* |
|---|---|
| É o aluno mais inteligente da classe. | *He is the most intelligent pupil in the class.* |

b) There is an absolute superlative, formed with the ending **-íssimo,** which is not used in comparisons but which has intensive force and is equivalent to English *very* + the adjective.

| É lindíssima. | *She is very pretty.* |
|---|---|

c) The feminine of comparatives and superlatives ending in -or (and -or) is the same as the masculine.

**Esta pena é a melhor.**      *This pen is the best one.*

d) The preposition *in* after the superlative is translated by **de.**

**É a cidade mais pequena de Portugal.**      *It is the smallest city in Portugal.*

e) English *than* is translated in Portuguese by **que** or **do que** and before numerals by **de.**

**Tem mais dinheiro (do) que eu.**      *He has more money than I.*
**Pesa mais de cem quilos.**      *He weighs more than a hundred kilograms.*

f) Comparison of equality is expressed by **tão . . . quanto** *as . . . as.*

**João é tão alto quanto José.**      *John is as tall as Joseph.*

**103. Relative pronouns.** 1. The most common relative pronoun is **que** *who, whom, which, that.* It is invariable, refers to persons and things, and is used as subject and object of a verb.

**o senhor que mora nesta casa**      *the gentleman who lives in this house*
**a moça que vi aquí esta manhã**      *the girl I saw here this morning*
**o livro que está sôbre a mesa**      *the book which is on the table*

2. The pronoun **quem** *who, whom* is used only of persons. It is both singular and plural.

**Foi meu filho quem chegou ontem.**      *It was my son who arrived yesterday.*

**os rapazes com quem falava**      *the boys with whom I was speaking*

3. **O qual (a qual, os quais, as quais)** may be used to avoid ambiguity.

**a mãe de João, a qual está em Lisboa**      *John's mother, who is in Lisbon*

4. The pronoun **o que** (**a que, os que, as que**) is a combination of the relative pronoun **que** and a demonstrative pronoun antecedent. It means *he who, she who, the one who, those who, the ones who, he whom, the one which, the one that*, etc.

| | |
|---|---|
| **Êstes livros são os que desejo.** | *These books are the ones that I want.* |
| **O livro que desejo é o que você está lendo.** | *The book I want is the one you are reading.* |

a) The first part, that is, the demonstrative pronoun part of these combinations, may be followed by **de** instead of the relative pronoun **que**. It then means *that of, those of*.

| | |
|---|---|
| **Êste livro e o de meu amigo** | *This book and that of my friend* |

b) The neuter **o que** means *what, that which*.

| | |
|---|---|
| **Sabe o que disse?** | *Do you know what he said?* |

5. The idea of antecedent and relative pronoun is combined in **quantos** (**quantas**) *all those who* (or *whom*).

| | |
|---|---|
| **Quantos o conhecem admiram-no.** | *All who know him admire him.* |

a) The neuter **quanto** means *all that, everything that*.

| | |
|---|---|
| **Quanto diz é verdade.** | *Everything that he says is true.* |

6. The possessive form of the relative is **cujo** (**cuja, cujos, cujas**). It agrees in gender and number with the noun it modifies.

| | |
|---|---|
| **os senhores cuja chegada esperamos** | *the gentlemen whose arrival we are awaiting* |

a) Other genitives are expressed by **de quem**.

| | |
|---|---|
| **o senhor de quem falei** | *the gentleman of whom I spoke* |

## VOCABULARY

| | |
|---|---|
| **algumas vezes** sometimes | **o artista** the artist |
| o **almôço** the lunch | o **aspecto** the appearance |
| **amarelo -a** yellow | a **atualidade** the present time |

atravessạr to cross
azụl blue; azụl celẹste sky blue
a bandẹira the flag
calạr -se to be silent, keep quiet
a cantọra the singer
o céu the sky, heavens
o concêrto the concert
considerạr to consider
constituịr to constitute
crescẹr to grow
debạixo de under
demạis too, too much; os demạis
the rest, the others
o desẹjo the desire
dirẹito -a right
a esfẹra the sphere
esquẹrdo -a left
a estrêla the star
a fạixa the band, strip
a fẹbre the fever
fạz favọr de please
o fụndo the background
o garçọn the waiter
interessạr to interest
o jantạr the dinner
o lạdo the side; de . . . lạdo on
. . . side
a legẹnda the reading, legend
a lẹtra the letter
com licẹnça I beg your pardon

o losạngo the diamond, lozenge
a maiọr pạrte the majority, the
most
mạl ill
mandạr chamạr to send for
o minerạl the mineral
a música the music
a naturẹza the nature
nọvo, nọva new, recent, young
a ọrdem the order
o ôvo, os ọvos the egg
percebẹr to understand
o pianịsta the pianist
o piạno the piano
possuịr to possess
precisạr de to need
a proclamação the proclamation
o progrẹsso the progress
a refeição the meal
representạr to represent
reproduzịr to reproduce
o retângulo the rectangle
a sạla de jantạr the dining room
simbolizạr to symbolize
o soprạno the soprano
a temporạda the season
a tẹrra the earth, ground
vẹrde green
a Vịa Láctea the Milky Way
vịvo -a living

## EXERCISES

**A.** *Read.* Há quatro côres na bandeira brasileira: verde, amarelo, azul, e branco. O retângulo que constitui o fundo da bandeira
é verde. Sôbre êsse retângulo está colocado um losango amarelo e
no centro do losango acha-se uma esfera azul celeste atravessada por
uma faixa branca onde se lê em letras verdes: ORDEM E PRO-

GRESSO.   Esta legenda significa que se precisa de ordem para ter progresso.

As côres simbolizam a Natureza no Brasil: o verde a natureza viva, os campos e o que cresce nêles; o amarelo a natureza morta, os minerais e o que se acha debaixo da terra; o azul o céu com as suas estrêlas; e o branco os desejos de paz de todo o brasileiro.[1]

A faixa branca representa a Via Láctea.   As vinte e uma estrêlas brancas que se encontram na esfera azul representam o Distrito Federal e os diferentes Estados do Brasil, e reproduzem o aspecto do céu do Brasil, visto do Rio de Janeiro, nas primeiras horas do dia 15 de novembro do ano de 1889, dia da proclamação da República.

B. *Answer in Portuguese.*   1. Quantas côres há na bandeira brasileira?   2. Quais são?   3. Qual é a forma da parte verde da bandeira?   4. Qual a forma da parte amarela?   5. Qual a forma da parte azul?   6. O que o verde simboliza?   7. O amarelo?   8. O azul?   9. O branco?   10. O que a faixa branca representa?   11. O que as estrêlas brancas representam?   12. Quantas estrêlas há na bandeira?   13. O que reproduzem?

C. *Read.*—Com licença, senhor, faz favor de passar-me o jornal, se já acabou de lê-lo.

—Aquí tem todos os jornais da manhã.   Não há muito de novo. O que mais me interessou foi a chegada a êste país da famosa pianista brasileira Guiomar Novaes, que vai dar vários concertos nesta cidade antes de partir para a Europa.   Gosto muito da música de piano e fico contente que tenhamos a oportunidade de ouvir esta grande artista.

—Na temporada passada tive a oportunidade de ouvir outra artista brasileira, a cantora, Bidú Sayão.   Ela possui uma magnífica voz de soprano e é considerada uma das maiores cantoras da atualidade.

D. *Answer in Portuguese.*   1. O que há nos jornais da manhã? 2. Quando Guiomar Novaes chegou a êste país?   3. Quem é Guiomar Novaes?   4. Vai dar concertos nesta cidade?   5. Para onde

---

[1] See footnote to page 116.

vai depois? 6. Vocês terão a oportunidade de ouví-la? 7. Quem é Bidú Sayão? 8. Vocês a ouviram? 9. Onde a ouviram? 10. Canta muitas vezes nesta cidade?

**E.** *Translate the English words.* 1. João é o *best* aluno *in the* classe. 2. Não percebí *what* o senhor dizia. 3. O senhor tem mais dinheiro *than* eu. 4. João é o rapaz *tallest* de todos. 5. Comprei em París estas luvas e *those of* Maria. 6. Portugal tem bons *harbors*. 7. Gostei muito do *breakfast* e do *lunch* que me deram. 8. José tem *fewer* livros *than* João. 9. Fala *worse than* os demais. 10. É uma moça muito *beautiful*. 11. Não desejo falar *more slowly*.

**F.** *Translate.* 1. Quais são os nomes das refeições em português? 2. Os nomes das refeições são o café da manhã, o almôço, e o jantar. 3. Tomamo-las na sala de jantar. 4. Algumas vezes tomamos o café da manhã na cama antes de nos levantarmos. 5. Quantos cafés querem esta manhã? 6. Somos três e queremos três cafés. 7. Tomaremos ovos. 8. Aquelas mocinhas são muito bonitas. 9. Esta gravata que levo é nova. 10. O novo criado fala demais; quero que se cale.

**G.** *Translate.* 1. O senhor fala depressa demais; fale mais devagar. 2. É mais velho do que parece. 3. É o maior país da Europa. 4. Meu irmão é mais alto do que meu pai. 5. Não quero que mande chamar o médico; tenho pouca febre e estou melhor. 6. O professor tem hoje mais de vinte alunos na classe. 7. A maior parte dos novos livros são muito interessantes. 8. João é mais pobre do que eu. 9. É mais formosa do que a irmã. 10. É o pior aluno da classe. 11. Êste livro é novíssimo; acaba de sair. 12. Esta lição não é tão difícil como aquela.

**H.** *Translate.* 1. O senhor com quem falava é amigo de meu pai. 2. Êstes livros e os do meu amigo são muito novos. 3. Êle é o senhor que nunca se cala. 4. Não me disse o que queria que eu fizesse. 5. Os que moram nesta cidade gostam muito dela. 6. Êle sabe quanto se acha naquêle livro. 7. Não percebe o que lê. 8. O que tem na mão é dinheiro. 9. Percebe o senhor o que lhe digo? 10. Sim, percebo. 11. De que lado da rua mora o senhor Araújo?

12. Mora do lado esquerdo; sou eu quem mora do lado direito.
13. São os livros de que preciso.

**I.** *Translate.* 1. He is the greatest pianist in the world. 2. He drinks little wine. 3. They are taller than their father. 4. I shall send for the doctor, and I hope that you will be silent when he is here. 5. It is hard for me to believe what you tell me. 6. I do not understand what he means. 7. She lives in a newer house than I do. 8. He takes more eggs than I do for breakfast. 9. This book is better than that one. 10. This is the boy for whom I brought the new books. 11. Sometimes that waiter talks too much; I shall look for another who talks less. 12. I need the books that you gave him. 13. She lives on the left side of the avenue. 14. Mary is as pretty as her sister. 15. I am surprised that you do not study harder. 16. He is not as tall as John. 17. That is the best store in the city. 18. I will take these shoes; they are the ones that I want. 19. I do not know what he said. 20. That is the man of whom she was talking.

# Appendix

### 104. Conjugations of regular verbs.
#### 1. Simple Tenses (Tempos Simples).

##### IMPERSONAL INFINITIVE (INFINITO ou INFINITIVO IMPESSOAL)

**fal̦ar** *to speak*    **aprend̦er** *to learn*    **parțir** *to leave*

##### PERSONAL INFINITIVE (INFINITO ou INFINITIVO PESSOAL)

| falạr | aprendẹr | partịr |
|---|---|---|
| (falạres) | (aprendẹres) | (partịres) |
| falạr | aprendẹr | partịr |
| falạrmos | aprendẹrmos | partịrmos |
| (falạrdes) | (aprendẹrdes) | (partịrdes) |
| falạrem | aprendẹrem | partịrem |

##### GERUND (GERÚNDIO)

**falạndo** *speaking* **aprendẹndo** *learning* **partịndo** *leaving*

##### PAST PARTICIPLE (PARTICÍPIO PASSADO)

| falạdo | aprendịdo | partịdo |
|---|---|---|

##### INDICATIVE (INDICATIVO)

###### PRESENT (PRESENTE)

| fạlo | aprẹndo | pạrto |
|---|---|---|
| (fạlas) | (aprẹndes) | (pạrtes) |
| fạla | aprẹnde | pạrte |
| falạmos | aprendẹmos | partịmos |
| (falạis) | (aprendẹis) | (partís) |
| fạlam | aprẹndem | pạrtem |

###### IMPERFECT (PRETÉRITO IMPERFEITO)

| falạva | aprendịa | partịa |
|---|---|---|
| (falạvas) | (aprendịas) | (partịas) |
| falạva | aprendịa | partịa |
| falávamos | aprendíamos | partíamos |
| (faláveis) | (aprendíeis) | (partíeis) |
| falạvam | aprendịam | partịam |

### PRETERIT (PRETÉRITO PERFEITO)

| falẹi | aprendí | partí |
|---|---|---|
| (falạste) | (aprendẹste) | (partịste) |
| falọu | aprendẹu | partịu |
| falamos | aprendẹmos | partịmos |
| (falạstes) | (aprendẹstes) | (partịstes) |
| falạram | aprendẹram | partịram |

### PLUPERFECT (PRETÉRITO MAIS-QUE-PERFEITO)

| falạra | aprendẹra | partịra |
|---|---|---|
| (falạras) | (aprendẹras) | (partịras) |
| falạra | aprendẹra | partịra |
| faláramos | aprendêramos | partíramos |
| (faláreis) | (aprendêreis) | (partíreis) |
| falạram | aprendẹram | partịram |

### FUTURE (FUTURO IMPERFEITO)

| falarẹi | aprenderẹi | partirẹi |
|---|---|---|
| (falarás) | (aprenderás) | (partirás) |
| falará | aprenderá | partirá |
| falarẹmos | aprenderẹmos | partirẹmos |
| (falarẹis) | (aprenderẹis) | (partirẹis) |
| falarão | aprenderão | partirão |

### CONDITIONAL (CONDICIONAL IMPERFEITO)

| falaria | aprenderia | partiria |
|---|---|---|
| (falarias) | (aprenderias) | (partirias) |
| falaria | aprenderia | partiria |
| falaríamos | aprenderíamos | partiríamos |
| (falaríeis) | (aprenderíeis) | (partiríeis) |
| falariam | aprenderiam | partiriam |

### IMPERATIVE [1] (IMPERATIVO)

| 2d sg. | (fạla) | (aprẹnde) | (pạrte) |
|---|---|---|---|
| 2d pl. | (falại) | (aprendẹi) | (partí) |

[1] The imperative forms are used only in affirmative commands in speech in which the pronouns **tu** and **vós** would be used. They are replaced by the third person forms of the present subjunctive (see section 49 and note 1 on page 95). In negative commands in speech in which

## SUBJUNCTIVE (SUBJUNTIVO)

### PRESENT (PRESENTE)

| | | |
|---|---|---|
| fale | aprenda | parta |
| (fales) | (aprendas) | (partas) |
| fale | aprenda | parta |
| falemos | aprendamos | partamos |
| (faleis) | (aprendais) | (partais) |
| falem | aprendam | partam |

### IMPERFECT (PRETÉRITO IMPERFEITO)

| | | |
|---|---|---|
| falasse | aprendesse | partisse |
| (falasses) | (aprendesses) | (partisses) |
| falasse | aprendesse | partisse |
| falássemos | aprendêssemos | partíssemos |
| (falásseis) | (aprendêsseis) | (partísseis) |
| falassem | aprendessem | partissem |

### FUTURE (FUTURO IMPERFEITO)

| | | |
|---|---|---|
| falar | aprender | partir |
| (falares) | (aprenderes) | (partires) |
| falar | aprender | partir |
| falarmos | aprendermos | partirmos |
| (falardes) | (aprenderdes) | (partirdes) |
| falarem | aprenderem | partirem |

## 2. Compound Tenses (Tempos Compostos).

### INDICATIVE (INDICATIVO)

#### PERFECT (PRETÉRITO PERFEITO COMPOSTO)

tenho falado     tenho aprendido     tenho partido

#### PLUPERFECT (MAIS-QUE-PERFEITO COMPOSTO)

tinha falado     tinha aprendido     tinha partido

---

tu and vós would be used, the imperative forms are replaced by the second singular and plural of the present subjunctive.

FUTURE PERFECT (FUTURO PERFEITO COMPOSTO)

terei falado       terei aprendido       terei partido

PAST CONDITIONAL (CONDICIONAL IMPERFEITO COMPOSTO)

teria falado       teria aprendido       teria partido

SUBJUNCTIVE (SUBJUNTIVO)

PERFECT (PRETÉRITO PERFEITO COMPOSTO)

tenha falado       tenha aprendido       tenha partido

PLUPERFECT (MAIS-QUE-PERFEITO COMPOSTO)

tivesse falado       tivesse aprendido       tivesse partido

FUTURE PERFECT (FUTURO PERFEITO COMPOSTO)

tiver falado       tiver aprendido       tiver partido

## 105. Orthographic-changing verbs. Verbs in -car. See section 79.

### ficar   to stay, remain

| PRETERIT IND. | PRES. SUBJ. |
| --- | --- |
| fiquei | fique |
| (ficaste) | (fiques) |
| ficou | fique |
| ficamos | fiquemos |
| (ficastes) | (fiqueis) |
| ficaram | fiquem |

## 106. Orthographic-changing verbs. Verbs in -gar. See section 79.

### chegar   to arrive

| PRETERIT IND. | PRES. SUBJ. |
| --- | --- |
| cheguei | chegue |
| (chegaste) | (chegues) |
| chegou | chegue |
| chegamos | cheguemos |
| (chegastes) | (chegueis) |
| chegaram | cheguem |

**107. Orthographic-changing verbs.   Verbs in *-ger* and *-gir*.   See section 79.**

### corrigir   *to correct*

| PRES. IND. | PRES. SUBJ. |
|---|---|
| corrijo | corrija |
| (corriges) | (corrijas) |
| corrige | corrija |
| corrigimos | corrijamos |
| (corrigís) | (corrijais) |
| corrigem | corrijam |

**108. Orthographic-changing verbs.   Verbs in *-guir*.   See section 79.**

### seguir   *to follow*

| PRES. IND. | PRES. SUBJ. |
|---|---|
| sigo | siga |
| (segues) | (sigas) |
| segue | siga |
| seguimos | sigamos |
| (seguís) | (sigais) |
| seguem | sigam |

**109. Orthographic-changing verbs.   Verbs in *-çar*.   See section 79.**

### começar   *to begin*

| PRETERIT IND. | PRES. SUBJ. |
|---|---|
| comecei | comece |
| (começaste) | (comeces) |
| começou | comece |
| começamos | comecemos |
| (começastes) | (comeceis) |
| começaram | comecem |

## 110. Orthographic-changing verbs. Verbs in -cer and -cir. See section 79.

### esquecer  *to forget*

| PRES. IND. | PRES. SUBJ. |
|---|---|
| esqueço | esqueça |
| (esqueces) | (esqueças) |
| esquece | esqueça |
| esquecemos | esqueçamos |
| (esqueceis) | (esqueçais) |
| esquecem | esqueçam |

## 111. Radical-changing verbs. Verbs with radical *e*. See section 71.

**1. levar** *to take away*  **2. dever** *to owe, to have to*  **3. servir** *to serve*

PRES. IND.

| | | |
|---|---|---|
| levo | devo | sirvo |
| (levas) | (deves) | (serves) |
| leva | deve | serve |
| levamos | devemos | servimos |
| (levais) | (deveis) | (servís) |
| levam | devem | servem |

PRES. SUBJ.

| | | |
|---|---|---|
| leve | deva | sirva |
| (leves) | (devas) | (sirvas) |
| leve | deva | sirva |
| levemos | devamos | sirvamos |
| (leveis) | (devais) | (sirvais) |
| levem | devam | sirvam |

**4. sentar** *to seat*  **5. vender** *to sell*  **6. sentir** *to feel*

PRES. IND.

| | | |
|---|---|---|
| sento | vendo | sinto |
| (sentas) | (vendes) | (sentes) |
| senta | vende | sente |
| sentamos | vendemos | sentimos |
| (sentais) | (vendeis) | (sentís) |
| sentam | vendem | sentem |

PRES. SUBJ.

| sẹnte | vẹnda | sịnta |
|---|---|---|
| (sẹntes) | (vẹndas) | (sịntas) |
| sẹnte | vẹnda | sịnta |
| sentẹmos | vendạmos | sintạmos |
| (sentẹis) | (vendạis) | (sintạis) |
| sẹntem | vẹndam | sịntam |

**7. fechar**    **8. desejar**    **9. aconselhar**    **10. chegar**

*to close*    *to wish*    *to advise*    *to arrive*

PRES. IND.

| fẹcho | desẹjo | aconsẹlho | chẹgo |
|---|---|---|---|
| (fẹchas) | (desẹjas) | (aconsẹlhas) | (chẹgas) |
| fẹcha | desẹja | aconsẹlha | chẹga |
| fechạmos | desejạmos | aconselhạmos | chegạmos |
| (fechạis) | (desejạis) | (aconselhạis) | (chegạis) |
| fẹcham | desẹjam | aconsẹlham | chẹgam |

PRES. SUBJ.

| fẹche | desẹje | aconsẹlhe | chẹgue |
|---|---|---|---|
| (fẹches) | (desẹjes) | (aconsẹlhes) | (chẹgues) |
| fẹche | desẹje | aconsẹlhe | chẹgue |
| fechẹmos | desejẹmos | aconselhẹmos | cheguẹmos |
| (fechẹis) | (desejẹis) | (aconselhẹis) | (cheguẹis) |
| fẹchem | desẹjem | aconsẹlhem | chẹguem |

**112. Radical-changing verbs. Verbs with radical *o*.** See section 72.

    **1. notar**  *to note*    **2. mover**  *to move*    **3. dormir**  *to sleep*

PRES. IND.

| nọto | mọvo | durmo |
|---|---|---|
| (nọtas) | (mọves) | (dọrmes) |
| nọta | mọve | dọrme |
| notạmos | movẹmos | dormịmos |
| (notạis) | (movẹis) | (dormís) |
| nọtam | mọvem | dọrmem |

PRES. SUBJ.

| | | |
|---|---|---|
| nǫte | mǫva | durma |
| (nǫtes) | (mǫvas) | (durmas) |
| nǫte | mǫva | durma |
| notęmos | movamos | durmamos |
| (notęis) | (movais) | (durmais) |
| nǫtem | mǫvam | durmam |

**4. contar** *to count* **5. romper** *to tear* **6. coroar** *to crown*

PRES. IND.

| | | |
|---|---|---|
| cǫnto | rǫmpo | corôo |
| (cǫntas) | (rǫmpes) | (corǫas) |
| cǫnta | rǫmpe | corǫa |
| contamos | rompęmos | coroamos |
| (contais) | (rompęis) | (coroais) |
| cǫntam | rǫmpem | corǫam |

PRES. SUBJ.

| | | |
|---|---|---|
| cǫnte | rǫmpa | corǫe |
| (cǫntes) | (rǫmpas) | (corǫes) |
| cǫnte | rǫmpa | corǫe |
| contęmos | rompamos | coroęmos |
| (contęis) | (rompais) | (coroęis) |
| cǫntem | rǫmpam | corǫem |

**113. Radical-changing verbs. Verbs of the third conjugation with radical *u*.** See section 73.

**1. subir** *to go up, come up*

| PRES. IND. | PRES. SUBJ. |
|---|---|
| subo | suba |
| (sǫbes) | (subas) |
| sǫbe | suba |
| subimos | subamos |
| (subís) | (subais) |
| sǫbem | subam |

2. Two verbs in **-uir, construir** and **destruir,** may be conjugated like **subir** or may keep the **u** in all forms. In either case the **e** of the endings of the second and third singular present indicative is pronounced like English *y* and has been changed in spelling to **i.**

**construir** *to construct*

| PRES. IND. | PRES. SUBJ. |
|---|---|
| construo | constr̲ua |
| (constróis) or (constrṵis) | (constrṵas) |
| constrói or constrṵi | constrṵa |
| construímos | construạmos |
| (construís) | (construạis) |
| constrọem or constrṵem | construạm |

a) Other verbs in **-uir,** e.g., **constituir** *to constitute* and **possuir** *to own, possess,* are regular so far as their radical vowel is concerned. But the **e** of the endings of the second and third singular present indicative is pronounced like *y* and has been changed in spelling to **i.**

**114. Verbs in *-iar, -ear,* and *-uar.*** 1. The **e** of **-ear** is treated as a radical vowel. When stressed it changes to **ei,** and when unstressed it is pronounced like English *y.* See section 97 a.

**receạr** *to fear*

| PRES. IND. | PRES. SUBJ. |
|---|---|
| recẹio | recẹie |
| (recẹias) | (recẹies) |
| recẹia | recẹie |
| receạmos | receẹmos |
| (receạis) | (receẹis) |
| recẹiam | recẹiem |

2. The **i** of **-iar** is treated as a radical vowel and is, therefore, stressed in the whole singular and the third plural present indicative and present subjunctive. See section 97.

### pronunciạr  *to pronounce*

| PRES. IND. | PRES. SUBJ. |
|---|---|
| pronunciọ | pronunciẹ |
| (pronunciạs) | (pronunciẹs) |
| pronunciạ | pronunciẹ |
| pronunciạmos | pronunciẹmos |
| (pronunciạis) | (pronunciẹis) |
| pronunciạm | pronunciẹm |

3. The **u** of **-uar** is treated as a radical vowel and is, therefore, stressed in the whole singular and the third plural present indicative and present subjunctive. See section 97.

### continuạr  *to continue*

| PRES. IND | PRES. SUBJ. |
|---|---|
| continuọ | continuẹ |
| (continuạs) | (continuẹs) |
| continuạ | continuẹ |
| continuạmos | continuẹmos |
| (continuạis) | (continuẹis) |
| continuạm | continuẹm |

# Irregular Verbs

| INFINITIVE IMPERSONAL & PERSONAL | GERUND AND PAST PARTICIPLE | PRESENT INDICATIVE | PRESENT SUBJUNCTIVE | IMPERFECT INDICATIVE | FUTURE INDICATIVE |
|---|---|---|---|---|---|
| **115. caber** *to fit* | | | | | |
| caber | cabendo | caibo | caiba | cabia | caberei |
| (caberes) | | (cabes) | (caibas) | (cabias) | (caberás) |
| caber | | cabe | caiba | cabia | caberá |
| cabermos | cabido | cabemos | caibamos | cabíamos | caberemos |
| (caberdes) | | (cabeis) | (caibais) | (cabíeis) | (cabereis) |
| caberem | | cabem | caibam | cabiam | caberão |
| **116. cair** *to fall* | | | | | |
| cair | caindo | caio | caia | caía | cairei |
| (caíres) | | (cais) | (caias) | (caías) | (cairás) |
| cair | | cai | caia | caía | cairá |
| caírmos | caído | caímos | caiamos | caíamos | cairemos |
| (caírdes) | | (caís) | (caiais) | (caíeis) | (caireis) |
| caírem | | caem | caiam | caíam | cairão |
| **117. crer** *to believe* | | | | | |
| crer | crendo | creio | creia | cria | crerei |
| (creres) | | (crês) | (creias) | (crias) | (crerás) |
| crer | | crê | creia | cria | crerá |
| crermos | crido | cremos | creiamos | críamos | creremos |
| (crerdes) | | (credes) | (creiais) | (críeis) | (crereis) |
| crerem | | crêem | creiam | criam | crerão |
| **118. dar** *to give* | | | | | |
| dar | dando | dou | dê | dava | darei |
| (dares) | | (dás) | (dês) | (davas) | (darás) |
| dar | | dá | dê | dava | dará |
| darmos | dado | damos | dêmos | dávamos | daremos |
| (dardes) | | (dais) | (deis) | (dáveis) | (dareis) |
| darem | | dão | dêem | davam | darão |

| CONDITIONAL | PRETERIT INDICATIVE | PLUPERFECT INDICATIVE | IMPERFECT SUBJUNCTIVE | FUTURE SUBJUNCTIVE | IMPERATIVE |
|---|---|---|---|---|---|
| caberįa | cǫube | coubęra | coubęsse | coubęr | |
| (caberįas) | (coubęste) | (coubęras) | (coubęsses) | (coubęres) | (cąbe) |
| caberįa | cǫube | coubęra | coubęsse | coubęr | |
| caberíamos | coubęmos | coubéramos | coubéssemos | coubęrmos | |
| (caberíeis) | (coubęstes) | (coubéreis) | (coubésseis) | (coubęrdes) | (cabęi) |
| caberįam | coubęram | coubęram | coubęssem | coubęrem | |
| caïrįa | caí | caíra | caísse | cair | |
| (caïrįas) | (caíste) | (caíras) | (caísses) | (caíres) | (cąi) |
| caïrįa | caiu | caíra | caísse | cair | |
| caïríamos | caímos | caíramos | caíssemos | caírmos | |
| caïríeis) | (caístes) | (caíreis) | (caísseis) | (caírdes) | (caí) |
| caïrįam | caíram | caíram | caíssem | caírem | |
| crerįa | crį | cręra | cręsse | cręr | |
| (crerįas) | (crêste) | (cręras) | (cręsses) | (cręres) | (crê) |
| crerįa | cręu | cręra | cręsse | cręr | |
| creríamos | cręmos | crêramos | crêssemos | cręrmos | |
| (creríeis) | (crêstes) | (crêreis) | (crêsseis) | (cręrdes) | (cręde) |
| crerįam | cręram | cręram | cręssem | cręrem | |
| darįa | dęi | dęra | dęsse | dęr | |
| (darįas) | (dęste) | (dęras) | (dęsses) | (dęres) | (dá) |
| darįa | dęu | dęra | dęsse | dęr | |
| daríamos | dęmos | déramos | déssemos | dęrmos | |
| (daríeis) | (dęstes) | (déreis) | (désseis) | (dęrdes) | (dąi) |
| darįam | dęram | dęram | dęssem | dęrem | |

| INFINITIVE IMPERSONAL & PERSONAL | GERUND AND PAST PARTICIPLE | PRESENT INDICATIVE | PRESENT SUBJUNCTIVE | IMPERFECT INDICATIVE | FUTURE INDICATIVE |
|---|---|---|---|---|---|
| **119. dizẹr** *to say, tell* | | | | | |
| dizẹr | dizẹndo | dịgo | dịga | dizịa | dirẹi |
| (dizẹres) | | (dịzes) | (dịgas) | (dizịas) | (dirás) |
| dizẹr | | dịz | dịga | dizịa | dirá |
| dizẹrmos | dịto | dizẹmos | digạmos | dizíamos | dirẹmos |
| (dizẹrdes) | | (dizẹis) | (digạis) | (dizíeis) | (dirẹis) |
| dizẹrem | | dịzem | dịgam | dizịam | dirão |
| **120. estạr** *to be* | | | | | |
| estạr | estạndo | estọu | estẹja | estạva | estarẹi |
| (estạres) | | (estás) | (estẹjas) | (estạvas) | (estarás) |
| estạr | | está | estẹja | estạva | estará |
| estạrmos | estạdo | estạmos | estejạmos | estávamos | estarẹmos |
| (estạrdes) | | (estạis) | (estejạis) | (estáveis) | (estarẹis) |
| estạrem | | estão | estẹjam | estạvam | estarão |
| **121. fazẹr** *to do* | | | | | |
| fazẹr | fazẹndo | fạço | fạça | fazịa | farẹi |
| (fazẹres) | | (fạzes) | (fạças) | (fazịas) | (farás) |
| fazẹr | | fạz | fạça | fazịa | fará |
| fazẹrmos | fẹito | fazẹmos | façạmos | fazíamos | farẹmos |
| (fazẹrdes) | | (fazẹis) | (façạis) | (fazíeis) | (farẹis) |
| fazẹrem | | fạzem | fạçam | fazịam | farão |
| **122. havẹr** *to have* | | | | | |
| havẹr | havẹndo | hẹi | hạja | havịa | haverẹi |
| (havẹres) | | (hás) | (hạjas) | (havịas) | (haverás) |
| havẹr | | há | hạja | havịa | haverá |
| havẹrmos | havịdo | havẹmos | hajạmos | havíamos | haverẹmos |
| (havẹrdes) | | (havẹis) | (hajạis) | (havíeis) | (haverẹis) |
| havẹrem | | hão | hạjam | havịam | haverão |

| CONDITIONAL | PRETERIT INDICATIVE | PLUPERFECT INDICATIVE | IMPERFECT SUBJUNCTIVE | FUTURE SUBJUNCTIVE | IMPERATIVE |
|---|---|---|---|---|---|
| diria | disse | dissera | dissesse | disser | |
| (dirias) | (disseste) | (disseras) | (dissesses) | (disseres) | (dize) |
| diria | disse | dissera | dissesse | disser | |
| diríamos | dissemos | disséramos | disséssemos | dissermos | |
| (diríeis) | (dissestes) | (disséreis) | (dissésseis) | (disserdes) | (dizei) |
| diriam | disseram | disseram | dissessem | disserem | |
| | | | | | |
| estaria | estive | estivera | estivesse | estiver | |
| (estarias) | (estiveste) | (estiveras) | (estivesses) | (estiveres) | (está) |
| estaria | esteve | estivera | estivesse | estiver | |
| estaríamos | estivemos | estivéramos | estivéssemos | estivermos | |
| (estaríeis) | (estivestes) | (estivéreis) | (estivésseis) | (estiverdes) | (estai) |
| estariam | estiveram | estiveram | estivessem | estiverem | |
| | | | | | |
| faria | fiz | fizera | fizesse | fizer | |
| (farias) | (fizeste) | (fizeras) | (fizesses) | (fizeres) | (faze) |
| faria | fêz | fizera | fizesse | fizer | |
| faríamos | fizemos | fizéramos | fizéssemos | fizermos | |
| (faríeis) | (fizestes) | (fizéreis) | (fizésseis) | (fizerdes) | (fazei) |
| fariam | fizeram | fizeram | fizessem | fizerem | |
| | | | | | |
| haveria | houve | houvera | houvesse | houver | |
| (haverias) | (houveste) | (houveras) | (houvesses) | (houveres) | (há) |
| haveria | houve | houvera | houvesse | houver | |
| haveríamos | houvemos | houvéramos | houvéssemos | houvermos | |
| (haveríeis) | (houvestes) | (houvéreis) | (houvésseis) | (houverdes) | (havei) |
| haveriam | houveram | houveram | houvessem | houverem | |

| INFINITIVE IMPERSONAL & PERSONAL | GERUND AND PAST PARTICIPLE | PRESENT INDICATIVE | PRESENT SUBJUNCTIVE | IMPERFECT INDICATIVE | FUTURE INDICATIVE |
|---|---|---|---|---|---|
| **123. ịr** *to go* | | | | | |
| ịr | ịndo | vọu | vá | ịa | irẹi |
| (ịres) | | (vạis) | (vás) | (ịas) | (irás) |
| ịr | | vại | vá | ịa | irá |
| ịrmos | ịdo | vạmos | vạmos | íamos | irẹmos |
| (ịrdes) | | (ịdes) | (vạdes) | (íeis) | (irẹis) |
| ịrem | | vão | vão | ịam | irão |
| **124. lẹr** *to read* | | | | | |
| lẹr | lẹndo | lẹio | lẹia | lịa | lerẹi |
| (lẹres) | | (lês) | (lẹias) | (lịas) | (lerás) |
| lẹr | | lê | lẹia | lịa | lerá |
| lẹrmos | lịdo | lẹmos | leiạmos | líamos | lerẹmos |
| (lẹrdes) | | (lẹdes) | (leiạis) | (líeis) | (lerẹis) |
| lẹrem | | lêem | lẹiam | lịam | lerão |
| **125. medịr** *to measure* | | | | | |
| medịr | medịndo | mẹço | mẹça | medịa | medirẹi |
| (medịres) | | (mẹdes) | (mẹças) | (medịas) | (medirás) |
| medịr | | mẹde | mẹça | medịa | medirá |
| medịrmos | medịdo | medịmos | meçạmos | medíamos | medirẹmos |
| (medịrdes) | | (medís) | (meçạis) | (medíeis) | (medirẹis) |
| medịrem | | mẹdem | mẹçam | medịam | medirão |
| **126. ouvịr** *to hear* | | | | | |
| ouvịr | ouvịndo | ọuço and ọiço | ọuça and ọiça | ouvịa | ouvirẹi |
| (ouvịres) | | (ọuves) | (ọuças) | (ouvịas) | (ouvirás) |
| ouvịr | | ọuve | ọuça | ouvịa | ouvirá |
| ouvịrmos | ouvịdo | ouvịmos | ouçạmos | ouvíamos | ouvirẹmos |
| (ouvịrdes) | | (ouvís) | (ouçạis) | (ouvíeis) | (ouvirẹis) |
| ouvịrem | | ọuvem | ọuçam | ouvịam | ouvirão |

| CONDITIONAL | PRETERIT INDICATIVE | PLUPERFECT INDICATIVE | IMPERFECT SUBJUNCTIVE | FUTURE SUBJUNCTIVE | IMPERATIVE |
|---|---|---|---|---|---|
| iria | fui | fôra | fôsse | fôr | |
| (irias) | (fôste) | (fôras) | (fôsses) | (fôres) | (vai) |
| iria | foi | fôra | fôsse | fôr | |
| iríamos | fomos | fôramos | fôssemos | formos | |
| (iríeis) | (fôstes) | (fôreis) | (fôsseis) | (fôrdes) | (ide) |
| iriam | foram | foram | fôssem | forem | |
| | | | | | |
| leria | li | lera | lesse | ler | |
| (lerias) | (lêste) | (leras) | (lesses) | (leres) | (lê) |
| leria | leu | lera | lesse | ler | |
| leríamos | lemos | lêramos | lêssemos | lermos | |
| (leríeis) | (lêstes) | (lêreis) | (lêsseis) | (lerdes) | (lede) |
| leriam | leram | leram | lessem | lerem | |
| | | | | | |
| mediria | medí | medira | medisse | medir | |
| (medirias) | (mediste) | (mediras) | (medisses) | (medires) | (mede) |
| mediria | mediu | medira | medisse | medir | |
| mediríamos | medimos | medíramos | medíssemos | medirmos | |
| (mediríeis) | (medistes) | (medíreis) | (medísseis) | (medirdes) | (medí) |
| mediriam | mediram | mediram | medissem | medirem | |
| | | | | | |
| ouviria | ouví | ouvira | ouvisse | ouvir | |
| | | | | | |
| (ouvirias) | (ouviste) | (ouviras) | (ouvisses) | (ouvires) | (ouve) |
| ouviria | ouviu | ouvira | ouvisse | ouvir | |
| ouviríamos | ouvimos | ouvíramos | ouvíssemos | ouvirmos | |
| (ouviríeis) | (ouvistes) | (ouvíreis) | (ouvísseis) | (ouvirdes) | (ouví) |
| ouviriam | ouviram | ouviram | ouvissem | ouvirem | |

| INFINITIVE IMPERSONAL & PERSONAL | GERUND AND PAST PARTICIPLE | PRESENT INDICATIVE | PRESENT SUBJUNCTIVE | IMPERFECT INDICATIVE | FUTURE INDICATIVE |
|---|---|---|---|---|---|
| **127. pedir** *to* *ask* | | | | | |
| pedir | pedindo | peço | peça | pedia | pedirei |
| (pedires) | | (pedes) | (peças) | (pedias) | (pedirás) |
| pedir | | pede | peça | pedia | pedirá |
| pedirmos | pedido | pedimos | peçamos | pedíamos | pediremos |
| (pedirdes) | | (pedís) | (peçais) | (pedíeis) | (pedireis) |
| pedirem | | pedem | peçam | pediam | pedirão |
| **128. perder** *to* *lose* | | | | | |
| perder | perdendo | perco | perca | perdia | perderei |
| (perderes) | | (perdes) | (percas) | (perdias) | (perderás) |
| perder | | perde | perca | perdia | perderá |
| perdermos | perdido | perdemos | percamos | perdíamos | perderemos |
| (perderdes) | | (perdeis) | (percais) | (perdíeis) | (perdereis) |
| perderem | | perdem | percam | perdiam | perderão |
| **129. poder** *to* *be able* | | | | | |
| poder | podendo | posso | possa | podia | poderei |
| (poderes) | | (podes) | (possas) | (podias) | (poderás) |
| poder | | pode | possa | podia | poderá |
| podermos | podido | podemos | possamos | podíamos | poderemos |
| (poderdes) | | (podeis) | (possais) | (podíeis) | (podereis) |
| poderem | | podem | possam | podiam | poderão |
| **130. pôr** *to put,* *place* | | | | | |
| pôr | pondo | ponho | ponha | punha | porei |
| (pores) | | (pões) | (ponhas) | (punhas) | (porás) |
| pôr | | põe | ponha | punha | porá |
| pormos | pôsto, posta, postos, postas | pomos | ponhamos | púnhamos | poremos |
| (pordes) | | (pondes) | (ponhais) | (púnheis) | (poreis) |
| porem | | põem | ponham | punham | porão |

| CONDITIONAL | PRETERIT INDICATIVE | PLUPERFECT INDICATIVE | IMPERFECT SUBJUNCTIVE | FUTURE SUBJUNCTIVE | IMPERATIVE |
|---|---|---|---|---|---|
| pediria | pedí | pedira | pedisse | pedir | |
| (pedirias) | (pediste) | (pediras) | (pedisses) | (pedires) | (pede) |
| pediria | pediu | pedira | pedisse | pedir | |
| pediríamos | pedimos | pedíramos | pedíssemos | pedirmos | |
| (pediríeis) | (pedistes) | (pedíreis) | (pedísseis) | (pedirdes) | (pedí) |
| pediriam | pediram | pediram | pedissem | pedirem | |
| | | | | | |
| perderia | perdí | perdera | perdesse | perder | |
| (perderias) | (perdeste) | (perderas) | (perdesses) | (perderes) | (perde) |
| perderia | perdeu | perdera | perdesse | perder | |
| perderíamos | perdemos | perdêramos | perdêssemos | perdermos | |
| (perderíeis) | (perdestes) | perdêreis) | (perdêsseis) | (perderdes) | (perdei) |
| perderiam | perderam | perderam | perdessem | perderem | |
| | | | | | |
| poderia | pude | pudera | pudesse | puder | |
| (poderias) | (pudeste) | (puderas) | (pudesses) | (puderes) | (pode) |
| poderia | pôde | pudera | pudesse | puder | |
| poderíamos | pudemos | pudéramos | pudéssemos | pudermos | |
| (poderíeis) | (pudestes) | (pudéreis) | (pudésseis) | (puderdes) | (podei) |
| poderiam | puderam | puderam | pudessem | puderem | |
| | | | | | |
| poria | pus | pusera | pusesse | puser | |
| (porias) | (puseste) | (puseras) | (pusesses) | (puseres) | (põe) |
| poria | pôs | pusera | pusesse | puser | |
| poríamos | pusemos | puséramos | puséssemos | pusermos | |
| | | | | | |
| (poríeis) | (pusestes) | (puséreis) | (pusésseis) | (puserdes) | (ponde) |
| poriam | puseram | puseram | pusessem | puserem | |

| INFINITIVE IMPERSONAL & PERSONAL | GERUND AND PAST PARTICIPLE | PRESENT INDICATIVE | PRESENT SUBJUNCTIVE | IMPERFECT INDICATIVE | FUTURE INDICATIVE |
|---|---|---|---|---|---|
| **131. querẹr** *to wish* | | | | | |
| querẹr | querẹndo | quẹro | quẹira | querịa | quererẹi |
| (querẹres) | | (quẹres) | (quẹiras) | (querịas) | (quererás) |
| querẹr | | quẹr | (quẹira | querịa | quererá |
| querẹrmos | querịdo | querẹmos | queirạmos | queríamos | quererẹmos |
| (querẹrdes) | | (querẹis) | (queirạis) | (queríeis) | (quererẹis) |
| querẹrem | | quẹrem | quẹiram | querịam | quererão |
| **132. rịr** *to laugh* | | | | | |
| rịr | rịndo | rịo | rịa | rịa | rirẹi |
| (rịres) | | (rịs) | (rịas) | (rịas) | (rirás) |
| rịr | | rị | rịa | rịa | rirá |
| rịrmos | rịdo | rịmos | riạmos | ríamos | rirẹmos |
| (rịrdes) | | (rịdes) | (riạis) | (ríeis) | (rirẹis) |
| rịrem | | rịem | rịam | rịam | rirão |
| **133. sabẹr** *to know* | | | | | |
| sabẹr | sabẹndo | sẹi | sạiba | sabịa | saberẹi |
| (sabẹres) | | (sạbes) | (sạibas) | (sabịas) | (saberás) |
| sabẹr | | sạbe | sạiba | sabịa | saberá |
| sabẹrmos | sabịdo | sabẹmos | saibạmos | sabíamos | saberẹmos |
| (sabẹrdes) | | (sabẹis) | (saibạis) | (sabíeis) | (saberẹis) |
| sabẹrem | | sạbem | sạibam | sabịam | saberão |
| **134. saịr** *to go out* | | | | | |
| saịr | saịndo | sạio | sạia | saía | saïrẹi |
| saíres) | | (sạis) | (sạias) | (saías) | (saïrás) |
| (saịr | | sại | sạia | saía | saïrá |
| saírmos | saído | saímos | saiạmos | saíamos | saïrẹmos |
| saírdes) | | (saís) | (saiạis) | (saíeis) | (saïrẹis) |
| (saírem | | sạem | sạiam | saíam | saïrão |

| CONDITIONAL | PRETERIT INDICATIVE | PLUPERFECT INDICATIVE | IMPERFECT SUBJUNCTIVE | FUTURE SUBJUNCTIVE | IMPERATIVE |
|---|---|---|---|---|---|
| quererịa | quịs | quisẹra | quisẹsse | quisẹr | |
| (quererịas) | (quisẹste) | (quisẹras) | (quisẹsses) | (quisẹres) | (quẹr) (quẹre) |
| quererịa | quịs | quisẹra | quisẹsse | quisẹr | |
| quereríamos | quisẹmos | quiséramos | quiséssemos | quisẹrmos | |
| (quereríeis) | (quisẹstes) | (quiséreis) | (quisésseis) | (quisẹrdes) | (querẹi) |
| quererịam | quisẹram | quisẹram | quisẹssem | quisẹrem | |
| | | | | | |
| ririạ | rị | rịra | rịsse | rịr | |
| (ririạs) | (rịste) | (rịras) | (rịsses) | (rịres) | (rị) |
| ririạ | rịu | rịra | rịsse | rịr | |
| riríamos | rịmos | ríramos | ríssemos | rịrmos | |
| riríeis | (rịstes) | (ríreis) | (rísseis) | (rịrdes) | (rịde) |
| ririạm | rịram | rịram | rịssem | rịrem | |
| | | | | | |
| saberịa | sọube | soubẹra | soubẹsse | soubẹr | |
| (saberịas) | (soubẹste) | (soubẹras) | (soubẹsses) | (soubẹres) | (sạbe) |
| saberịa | sọube | soubẹra | soubẹsse | soubẹr | |
| saberíamos | soubẹmos | soubéramos | soubéssemos | soubẹrmos | |
| (saberíeis) | (soubẹstes) | (soubéreis) | (soubésseis) | (soubẹrdes) | (sabẹi) |
| saberịam | soubẹram | soubẹram | soubẹssem | soubẹrem | |
| | | | | | |
| saïrịa | saí | saíra | saísse | saịr | |
| (saïrịas) | (saíste) | (saíras) | (saísses) | (saíres) | (sại) |
| saïrịa | saiu | saíra | saísse | saịr | |
| saïríamos | saímos | saíramos | saíssemos | saírmos | |
| saïríeis | (saístes) | (saíreis) | (saísseis) | (saírdes) | (saí) |
| saïrịam | saíram | saíram | saíssem | saírem | |

| INFINITIVE IMPERSONAL & PERSONAL | GERUND AND PAST PARTICIPLE | PRESENT INDICATIVE | PRESENT SUBJUNCTIVE | IMPERFECT INDICATIVE | FUTURE INDICATIVE |
|---|---|---|---|---|---|
| **135. sẹr** *to be* | | | | | |
| sẹr | sẹndo | sọu | sẹja | ẹra | serẹi |
| (sêres) | | (és) | (sẹjas) | (ẹras) | (serás) |
| sẹr | | é | sẹja | ẹra | será |
| sẹrmos | sịdo | sọmos | sejạmos | éramos | serẹmos |
| (sẹrdes) | | (sọis) | (sejạis) | (éreis) | (serẹis) |
| sẹrem | | sãọ | sẹjam | ẹram | serãọ |
| **136. tẹr** *to have* | | | | | |
| tẹr | tẹndo | tẹnho | tẹnha | tịnha | terẹi |
| (tẹres) | | (tẹns) | (tẹnhas) | (tịnhas) | (terás) |
| tẹr | | tẹm | tẹnha | tịnha | terá |
| tẹrmos | tịdo | tẹmos | tenhạmos | tínhamos | terẹmos |
| (tẹrdes) | | (tẹndes) | (tenhạis) | (tínheis) | (terẹis) |
| tẹrem | | têm | tẹnham | tịnham | terãọ |
| **137. trazẹr** *to bring* | | | | | |
| trazẹr | trazẹndo | trạgo | trạga | trazịa | trarẹi |
| (trazẹres) | | (trạzes) | (trạgas) | (trazịas) | (trarás) |
| trazẹr | | trạz | trạga | trazịa | trará |
| trazẹrmos | trazịdo | trazẹmos | tragạmos | trazíamos | trarẹmos |
| (trazẹrdes) | | (trazẹis) | (tragạis) | (trazíeis) | (trarẹis) |
| trazẹrem | | trạzem | trạgam | trazịam | trarãọ |
| **138. valẹr** *to be worth* | | | | | |
| valẹr | valẹndo | vạlho | vạlha | valịa | valerẹi |
| (valẹres) | | (vạles) | (vạlhas) | (valịas) | (valerás) |
| valẹr | | vạle | vạlha | valịa | valerá |
| valẹrmos | valịdo | valẹmos | valhạmos | valíamos | valerẹmos |
| (valẹrdes) | | (valẹis) | (valhạis) | (valíeis) | (valerẹis) |
| valẹrem | | vạlem | vạlham | valịam | valerãọ |

| CONDITIONAL | PRETERIT INDICATIVE | PLUPERFECT INDICATIVE | IMPERFECT SUBJUNCTIVE | FUTURE SUBJUNCTIVE | IMPERATIVE |
|---|---|---|---|---|---|
| seria | fui | fôra | fôsse | fôr | |
| (serias) | (fôste) | (fôras) | (fôsses) | (fôres) | (sê) |
| seria | foi | fôra | fôsse | fôr | |
| seríamos | fomos | fôramos | fôssemos | formos | |
| (seríeis) | (fôstes) | (fôreis) | (fôsseis) | (fordes) | (sêde) |
| seriam | foram | foram | fôssem | forem | |
| | | | | | |
| teria | tive | tivera | tivesse | tiver | |
| (terias) | (tiveste) | (tiveras) | (tivesses) | (tiveres) | (tem) |
| teria | teve | tivera | tivesse | tiver | |
| teríamos | tivemos | tivéramos | tivéssemos | tivermos | |
| (teríeis) | (tivestes) | (tivéreis) | (tivésseis) | (tiverdes) | (tende) |
| teriam | tiveram | tiveram | tivessem | tiverem | |
| | | | | | |
| traria | trouxe [1] | trouxera | trouxesse | trouxer | |
| (trarias) | trouxeste) | (trouxeras) | (trouxesses) | (trouxeres) | (traze) |
| traria | trouxe | trouxera | trouxesse | trouxer | |
| traríamos | trouxemos | trouxéramos | trouxéssemos | trouxermos | |
| (traríeis) | (trouxestes) | (trouxéreis) | (trouxésseis) | (trouxerdes) | (trazei) |
| trariam | trouxeram | trouxeram | (trouxessem | (trouxerem | |
| | | | | | |
| valeria | vali | valera | valesse | valer | |
| (valerias) | (valeste) | (valeras) | (valesses) | (valeres) | (vale) |
| valeria | valeu | valera | valesse | valer | |
| valeríamos | valemos | valêramos | valêssemos | valermos | |
| (valeríeis) | (valestes) | (valêreis) | (valêsseis) | (valerdes) | (valei) |
| valeriam | valeram | valeram | valessem | valerem | |

[1] The *x* of this tense and the derived tenses is pronounced like *ss*.

| INFINITIVE IMPERSONAL & PERSONAL | GERUND AND PAST PARTICIPLE | PRESENT INDICATIVE | PRESENT SUBJUNCTIVE | IMPERFECT INDICATIVE | FUTURE INDICATIVE |
|---|---|---|---|---|---|
| **139. vẹr** *to see* | | | | | |
| vẹr | vẹndo | vẹjo | vẹja | vịa | verẹi |
| (vẹres) | | (vês) | (vẹjas) | (vịas) | (verás) |
| vẹr | | vê | vẹja | vịa | verá |
| vẹrmos | vịsto | vẹmos | vejạmos | víamos | verẹmos |
| (vẹrdes) | | (vêdes) | (vejạis) | (víeis) | (verẹis) |
| vẹrem | | vêem | vẹjam | vịam | verão |
| **140. vịr** *to come* | | | | | |
| vịr | vịndo | vẹnho | vẹnha | vịnha | virẹi |
| (vịres) | | (vẹns) | (vẹnhas) | (vịnhas) | (virás) |
| vịr | | vẹm | vẹnha | vịnha | virá |
| vịrmos | vịndo | vịmos | venhạmos | vínhamos | virẹmos |
| (vịrdes) | | (vịndes) | (venhạis) | (vínheis) | (virẹis) |
| vịrem | | vêm | vẹnham | vịnham | virão |

| CONDITIONAL | PRETERIT INDICATIVE | PLUPERFECT INDICATIVE | IMPERFECT SUBJUNCTIVE | FUTURE SUBJUNCTIVE | IMPERATIVE |
|---|---|---|---|---|---|
| veria | vi | vira | visse | vir | |
| (verias) | (viste) | (viras) | (visses) | (vires) | (vê) |
| veria | viu | vira | visse | vir | |
| veríamos | vimos | víramos | víssemos | virmos | |
| (veríeis) | (vistes) | (víreis) | (vísseis) | (virdes) | (vêde) |
| veriam | viram | viram | vissem | virem | |
| | | | | | |
| viria | vim | viera | viesse | vier | |
| (virias) | (vieste) | (vieras) | (viesses) | (vieres) | (vem) |
| viria | veio | viera | viesse | vier | |
| viríamos | viemos | viéramos | viéssemos | viermos | |
| (viríeis) | (viestes) | (viéreis) | (viésseis) | (vierdes) | (vinde) |
| viriam | vieram | vieram | viessem | vierem | |

# Portuguese-English Vocabulary

## A

**a** to, for, into, at

**a** *f. art.* the; *pron.* her, it

**à** = a + a to the

**abacaxí** (*x* = *sh*) *m.* pineapple

**abęrto -a** open; *p.p.* of **abrir**

**abril** *m.* April

**abrir** to open

**acabar** to end, finish, terminate; — **de** to have just; **acabava de** had just; — **por** to finish by

**aceitar** to accept

**acendęr** to light

**acentuar** (114, 3) to accent

**achar** to find

**acidęnte** *m.* accident

**acomodar-se** (112, 1) to adapt oneself

**aconselhar** (111, 9) to advise

**acontecęr** (110; 111, 2) to happen

**acordar** (112, 1) to awaken, to get awake

**Açôres** *m. pl.* Azores

**acostumar-se** to accustom oneself

**acreditar** to believe

**açúcar** *m.* sugar

**acusar de** to charge with

**admiração** *f.* admiration

**adormecęr** (110; 111, 2) to go to sleep

**advogado** *m.* lawyer

**afastar-se** to move away, go away

**agitar** to agitate, disturb

**agora** now; — **que** now that

**agôsto** *m.* August

**água** *f.* water

**aí** there (*near the person spoken to*)

**ainda** still, yet; — **que** although

**ajudar** (a) to help (to)

**alęgre** gay, merry

**além de** besides

**alemão -ã -ães -ãs** German

**alfaiataria** *f.* tailor shop

**alfaiate** *m.* tailor

**algo** something

**algum -a** some; *see* **coisa** *and* **vez**

**alí** there (*near the person or thing spoken of*); **por** — that way

**almôço, almǫços** *m.* (44) lunch

**alto -a** high, tall

**altura** *f.* height

**alugar** (106) to rent

**alumiar** (114, 2) to light, light up, illuminate

**aluno** *m.* pupil, student

**amanhã** tomorrow; — **de manhã** tomorrow morning; — **de tarde** tomorrow afternoon

**amaręlo -a** yellow

**ambos -as** both

**América** *f.* America

**amigo** *m.* friend

**amǫstra** *f.* sample

**andar** *m.* floor; **primęiro** — second floor; — **térreo** ground floor, first floor

**animal -ais** *m.* animal

**ano** *m.* year; *see* **ter**

165

antes *adv.* before; — de *prep.* before; — que *conj.* before; quanto
— as soon as possible
antigo -a old, ancient
ao = a + o to the
aos = a + os to the
apagar (106) to put out, extinguish
apanhar to get, to pick up
apenas only
apertar to press, squeeze
a-pesar-de in spite of
aplicado -a studious
aportar to arrive, anchor
aprender (a) to learn (to)
apresentar to introduce
apressar-se (a) to hurry (to)
aquêle, aquela (23) that, that one
(yonder), those
aquí here; por — this way; — tem
there is, here are
aquilo (24) that
ar *m.* air
artigo *m.* article
artista *m. & f.* artist
árvore *f.* tree
as *f. pl. art.* the; *pron.* them
às = a + as to the
aspecto *m.* aspect, appearance
assegurar to assure, guarantee
assim so, thus; não é — ? is it not
so?; — que as soon as
assunto *m.* subject, matter
até *prep.* until; — muito distante
far out; — que *conj.* until
atento -a attentive
atingir (107) to reach
ator *m.* actor
atração -ções *f.* attraction
atrás de behind

atravessar to cross
atualidade *f.* present time
aula *f.* class (room, lesson), classroom
ausente absent
automóvel -móveis *m.* automobile
autor *m.* author
ave *f.* bird
aveludado -a velvety
avenida *f.* avenue
avião, aviões *m.* airplane
azul, azuis blue

## B

a Bahia Bahia
baía *f.* bay
baiano -a of Bahia
bairro *m.* district, zone
bandeira *f.* flag
banho *m.* bath, bathing; see roupa
and tomar
barato -a cheap; barato *adv.* cheap,
cheaply
barbear (114, 1) to shave
bastante enough
batizar to baptize
beber (111, 2) to drink
belo -a fine, beautiful
bem well
biblioteca *f.* library
bilhete *m.* ticket
boa *f. of* bom
bôlsa *f.* pocketbook
bôlso, bolsos (44 a) *m.* pocket
bom, boa good, kind
bondade *f.* kindness
bonde *m.* trolley car, streetcar
branco *m.* white, white man; branco
-a white

Brasil *m.* Brazil
brasileiro -a Brazilian
breve brief; em — soon
brincar (105) to play

## C

cá here
caber (115) to fit; to be contained
cachimbo *m.* pipe
cada each, every
cadeira *f.* chair
café *m.* coffee; breakfast; — da manhã breakfast
cair (116) to fall
calar-se to be silent, keep quiet
calçada *f.* sidewalk
calor *m.* heat; *see* fazer *and* ter
cama *f.* bed; *see* ir
camisa *f.* shirt
campo *m.* country
caneta *f.* pen, penholder
cansado -a tired
cansar-se de to get tired of
cantar to sing
cantora *f.* singer
cão, cães *m.* dog
capital -ais *f.* capital (city)
cardeal -ais *adj.* cardinal
carioca *m. & f.* native of the city of Rio de Janeiro
carne *f.* meat
caro -a dear; caro *adv.* dear
carta *f.* letter
casa *f.* house; a — home; para — home; a — de to the house of, to the home of; em — home, at home; em — de at the house of; — de campo country house; — vizinha house next door

casado -a married
casar (-se) to get married
caso *m.* case; (no) — (que) in case (that)
cavalo *m.* horse
cedinho pretty early
cedo early
cego -a blind
célebre famous
cem a hundred
cento hundred, a hundred
centro *m.* center
certo -a sure
cessar de to stop
céu *m.* sky, heavens, heaven
chá *m.* tea
chamada *f.* call; fazer a — to call the roll
chamado -a called
chamar to call; mandar — to send for; —-se to be called; chamo-me my name is
chão *m.* floor, ground
chapéu *m.* hat
charuto *m.* cigar
chave *f.* key
chegada *f.* arrival
chegar (106; 111, 10) to arrive; — a to arrive at; to amount to; — para to be enough to *or* for; — a casa to arrive home
cheio -a full
cheiro *m.* odor, smell
chícara *f.* cup
chover (112, 2) to rain
cidade *f.* city
ciência *f.* science
cigarro *m.* cigarette
cinco five

cinema *m.* movie, motion pictures
civil, civís civil
classe *f.* class (group of students)
coberto -a covered; *p.p. of* cobrir
coisa *f.* thing; alguma — something
coleção -ões *f.* collection
colheita *f.* harvest
colhêr to gather
colher *f.* spoon
colocar (105) to place
Colombo *m.* Columbus
com with
combinação -ões *f.*combination
começar (109; 111, 2) to begin; —
    por to begin by
comer (112, 5) to eat
comercial -ais commercial
comércio *m.* business, commerce
como how, as; *1st sg. pres. ind. of*
    comer
companhia *f.* company
compensar to compensate for
compor (130) to compose
composto, composta (45) compound
compra *f.* purchase; *see* fazer *and* ir
comprar to buy
compreender (111, 5) to understand
comprido -a long
comum -uns common
concêrto, concertos *m.* concert
confeitaria *f.* candy store
confiança *f.* confidence, trust
confinar com to border on
conhecer (110; 111, 2) to know
conosco with us
conquistar to win
conseguir (108; 111, 3) to get, ob-
    tain
consertar (111, 1) to mend, repair

considerar (111, 1) to consider
consigo with himself, with herself,
    with itself, with yourself, with
    themselves, with yourselves, with
    him, her, it, them, you
constituir (113, 2 a) to constitute
construir (113, 2) to build, con-
    struct
conta *f.* bill
contanto que provided (that)
contar (112, 4) to count; to tell; to
    intend; to expect
contente (de *or* em) content, glad,
    satisfied (to); ficar — to be glad
contigo with thee, with you
continuar (114, 3) to continue
contra against
conversação -ões *f.* conversation
conversar (111, 1) to converse
convidar a *or* para to invite to
convite *m.* invitation
convosco with you
copiar (114, 2) to copy
copo *m.* glass, tumbler
côr, côres *f.* color
corcova *f.* hump
coroar (112, 6) to crown
correio *m.* mail; *see* sêlo
corretamente correctly
corrigir (107) to correct
cortês polite
costume *m.* custom
crer (117) to believe, think; — que
    sim to think so; — que não to
    think not; — em to believe in
crescer (110; 111, 2) to grow
crescimento *m.* growth
criada *f.* maid
criado *m.* servant

cuidado *m.* care
cujo -a whose, of which
culpadinho -a somewhat to blame
cultura *f.* cultivation
cultural -ais cultural
custar to cost

## D

da = de + a of the, from the
daquela = de + aquela of that
daquêle = de + aquêle of that
daquilo = de + aquilo of that
dar (118) to give; to strike; — com
to encounter, to run into; — para
to overlook, to face; — um passeio to take a walk
das = de + as of the, from the
de of, from, by, with
debaixo de (*x* = *sh*) under
décimo -a tenth
deitar-se to lie down, go to bed
deixar to let, allow (to); — de to
stop, cease
dela = de + ela of her, of it
dêle = de + êle of him, of it
demais too, too much; os — the
rest, the others
demora *f.* delay
depois *adv.* afterwards; — de *prep.*
after; — que *conj.* after
depressa fast, quickly
descanso *m.* rest
descer (110; 111, 2) to go down; to
get off
descoberta *f.* discovery
descoberto -a *p.p. of* descobrir
descobridor *m.* discoverer
descobrir (112, 3) to discover
desejar (111, 8) to wish, desire

desembocadura *f.* mouth (of a
river)
despir-se (111, 3) to undress
dessa = de + essa of that
dêsse = de + êsse of that
desta = de + esta of this
dêste = de + êste of this
destronar (112, 4) to dethrone
destruir (113, 2) to destroy
desvantagem *f.* disadvantage
devagar slow, slowly
devagarinho slow and easy
devagarzinho slow and easy
dever (111, 2) to owe; to have to,
be bound to, must
dez ten
dezembro *m.* december
dezenove (27) nineteen
dezesseis (27) sixteen
dezessete (27) seventeen
dezoito (27) eighteen
dia *m.* day; oito —s a week; quinze
—s two weeks; —s úteis workdays
diante de in front of
diferente different
difícil, difíceis difficult, hard
dinheiro *m.* money
direito -a right; direito *adv.* straight
disso = de + isso of that
disto = de + isto of this
distrito *m.* district
diversidade *f.* diversity
divertimento *m.* amusement
divertir-se (111, 3) to enjoy oneself
dizer (119) to say, tell; ouvir — que
to hear that; querer — to mean
do = de + o of the
doce sweet, gentle

doente sick, ill
dois, duas two
domingo *m.* Sunday
dormir (112, 3) to sleep
dos = de + os of the
doze twelve
duas *f. of* dois
durante during, for
dúvida *f.* doubt; sem — doubtless
duvidar to doubt
duzentos -as two hundred

### E

e and
ela she, her, it
êle he, him, it
elementar elementary
em in, into, on, at
embora although; *see* ir
empregado *m.* clerk, salesman
emprestar (111, 1) to lend
encarregar (106; 111, 1) to load; to
entrust; — -se de to take charge
of
encetar (111, 1) to begin, establish
encontrar (112, 4) to meet, run into;
to find
endereço *m.* address
engenho *m.* sugar mill
enquanto (que) while
enrolar (112, 1) to roll
ensinar (a) to teach (to)
então then
entrada *f.* entrance
entrar em to enter, go into, come
into
entre between, among
entregar (106; 111, 1) to deliver
entregue *p.p. of* entregar

enviar (114, 2) to send
escada *f.* stairs
escavar to excavate, cut out
escola *f.* school
escolher to choose
escrever (111, 2) to write
escrito -a written; *p.p. of* escrever
escritor *m.* writer
escutar to listen to
esfera *f.* sphere
Espanha *f.* Spain
espanhol, espanhola, espanhóis
Spanish
espécie *f.* kind
espelho *m.* mirror
esperar (111, 1) to hope (to); to
wait, wait for, await
esquecer (-se de) (110; 111, 2) to
forget (to)
esquerdo -a left
esquina *f.* corner
êsse, essa (23) that, that one
(*near you*), those
esta *f. of* êste
estação -ões *f.* station; season
estado *m.* state
Estados Unidos *m. pl.* United States
estante *f.* bookcase
estar (120) to be; — com fome to
be hungry; — com sêde to be
thirsty; — de volta to be back;
— com vontade de to have a notion to, to wish to, to be anxious to
êste, esta (23) this, this one, these
estrada *f.* road
estrangeiro *m.* foreigner, stranger
estreito -a narrow
estrêla *f.* star

estudar to study
estudo *m.* study
eu I
Europa *f.* Europe
examinar (*x* = *z*) to examine
excelente (*x* = *ss*) excellent
excursão -sões (*x* = *ss*) *f.* trip
exemplo (*x* = *z*) *m.* example
exercício (*x* = *z*) *m.* exercise
êxito (*x* = *z*) *m.* success

## F

fábrica *f.* factory
fabricação *f.* manufacture
fabricado -a manufactured
fácil, fáceis easy
fàcilmente easily
faixa (*x* = *sh*) *f.* band, strip
falar to speak
falecer (110; 111, 2) to die
faltar to be lacking; — a to be absent from
família *f.* family
famoso, famosa (45) famous
farmácia *f.* drugstore
favor *m.* favor; faz — de please
fazenda *f.* cloth
fazer (121) to do; to make; — a chamada to call the roll; — compras to shop; ir — compras to go shopping; faz favor de please; — parte de to belong to; — uma pergunta to ask a question; que tempo faz? how is the weather?; faz bom tempo the weather is fine; faz mau tempo the weather is bad; faz calor it is hot; faz frio it is cold
febre *f.* fever

fechar (111, 7) to close, shut
federal -ais federal
feliz happy
férias *f. pl.* holiday
ferro *m.* iron
fevereiro *m.* February
ficar (105) to stay, remain; to be, become; to stand; — contente to be glad
Filadélfia *f.* Philadelphia
filha *f.* daughter
filho *m.* son
flor *f.* flower
floresta *f.* forest
fluminense *m.* native of the state of Rio de Janeiro
fogo, fogos (44) *m.* fire
fôlha *f.* leaf
fome *f.* hunger; *see* estar *and* ter
fora outside; *see* lá
forma *f.* form
formoso, formosa (45) beautiful
forte strong
francês, francesa, franceses French
frase *f.* sentence
freguês *m.* customer
fresco -a fresh; de fresco freshly
frio -a cold; *see* fazer *and* ter
fumar to smoke
fumo *m.* tobacco; — de corda roll tobacco
fundar to found
fundo *m.* background

## G

garçon *m.* waiter
gastar to spend
gaveta *f.* drawer
gêlo *m.* ice

generąl -ąis *m.* general
gęnte *f.* people
geografįa *f.* geography
gerąlmente generally
glǫbo, glǫbos (44 a) *m.* globe, world
gloriǫso, gloriǫsa (45) glorious
gostąr de (112, 1) to like (to)
govêrno, govęrnos *m.* government
goząr de (112, 1) to enjoy
grąnde large, big; great; —s férias summer holiday, summer vacation
gravąta *f.* necktie
grųpo *m.* group
guaraní *m. & adj.* Guarani (of an Indian tribe of South America)
guąrda-chųva *m.* umbrella
guęrra *f.* war
Guiąnas *f. pl.* Guianas

## H

há there is, there are; ago
habitąnte *m.* inhabitant
havęr (122) to have
hesitąr em to hesitate to
história *f.* history; story
hǫje today
holandês, holandęsa Dutch
hǫmem -ens *m.* man
hǫra *f.* hour; time, o'clock; sąo —s de it is time to
hotęl, hotéis *m.* hotel

## I

igręja *f.* church
iguąl -ąis equal; — a like, similar to; por iguąl evenly
įlha *f.* island

ilustração *f.* erudition
imediątamęnte at once, right away, immediately
imęnso -a immense
ímpar odd
imperadǫr *m.* emperor
imperiąl -ąis imperial
império *m.* empire
importąnte important
Inglatęrra *f.* England
inglês, inglêsa, inglêses, inglêsas English
intęiro -a whole, entire
interessąnte interesting
interessąr (111, 1) to interest
intęrno -a internal
introduzįr to introduce
invęrno *m.* winter
įr (123) to go; — para cąsa to go home; — para a cąma to go to bed; — fazęr cǫmpras to go shopping; — a pé to walk; — tęr com to go to see; — -se *or* — -se embǫra to go away
irmã *f.* sister
irmão -ąos *m.* brother
įsso (24) that; por — for this reason, for that reason, therefore
įsto (24) this

## J

já already, now, at once; — não no longer
janęiro *m.* January
janęla *f.* window
jantąr *m.* dinner; sąla de — dining room
jardįm -įns *m.* garden
jirąu *m.* frame, prop

João *m.* John
jornal -ais *m.* newspaper
José *m.* Joseph
jovem -ens young
julgar to think, believe, deem
julho *m.* July
junho *m.* June
juntos -as together

### L

-la her, it
lá there (*more remote than* alí); —
fora outside, outdoors
lã *f.* wool
lado *m.* side
lâmpada *f.* lamp
lápis *m.* pencil
largo *m.* public square; largo -a wide
latido *m.* bark, barking
latino -a Latin
legenda *f.* reading, legend
lembrar (111, 4) to remind; — -se
de to remember (to)
ler (124) to read
leste *m.* east
letra *f.* letter; —s letters, literature
levantar-se to rise, arise, get up
levar (111, 1) to take (away); to
wear; to take (time)
lha = lhe + a it to him, it to her,
it to them, it to you
lhe to him, to her, to it
lhes to them
lho = lhe + o it to him, it to her,
it to them, it to you
liberal -ais liberal
lição -ões *f.* lesson
licença *f.* permission; com — I beg
your pardon

ligar (106) to connect, join
limite *m.* boundary
lindo -a pretty
língua *f.* language
linha *f.* line; —s de bonde trolley
lines
Lisboa *f.* Lisbon
literatura *f.* literature
livraria *f.* bookstore
livro *m.* book
-lo him, it
logo right away; — que as soon as
loja *f.* store
longe (de) far (from)
longo -a long (in time)
-los them
losango *m.* diamond, lozenge
lugar *m.* place
Luiz Louis
luta *f.* struggle
luva *f.* glove
luz *f.* light

### M

ma = me + a it to me
má *f. of* mau
mãe *f.* mother
magnífico -a magnificent
maio *m.* May
maior larger, greater; elder; largest,
greatest; eldest; *see* parte
mais more, most; não . . . — no
. . . longer
mal badly, poorly; ill
mandar to order; to have, cause to;
— chamar to send for
manhã *f.* morning; café da —
breakfast
mão, mãos *f.* hand; a — by hand

mar *m.* sea

maravilhoso, maravilhosa (45) marvellous, wonderful

março *m.* March

Maria *f.* Mary

mas but; — sim but (*after a negative verb*)

más *f. pl. of* mau

materno -a maternal, mother

mau, má bad, unkind, evil

máximo -a ($x = ss$) maximum, full

me me, to me

Meca *f.* Mecca

medicina *f.* medicine

médico *m.* physician, doctor

medir (125) to measure

mêdo *m.* fear; ter — de to be afraid of *or* to

meia half past; six (on the telephone)

meia-noite *f.* midnight, twelve o'clock

meio-dia *m.* noon, twelve o'clock

melhor better, best

mendigo *m.* beggar

menor smaller, smallest; younger, youngest

menos less, least, fewer, fewest; a — que unless

mentira *f.* lie

mês, meses *m.* month

mesa *f.* table

mesmo -a same

metro *m.* meter

meu, minha my, mine

mil thousand, a thousand

milhão -ões *m.* million

mim me

mineral -ais *m.* mineral

minha *f. of* meu

minuto *m.* minute

mo = me + o it to me

moça *f.* girl

mocidade *f.* youth

mocinha *f.* young girl

modo *m.* way, manner, mood; de — que so that

montanha *f.* mountain

Montevidéu *m.* Montevideo

morango *m.* strawberry

morar (112, 1) to live, dwell

morrer (112, 2) to die; — de to die of; to languish with

mostrar (112, 1) to show

mover (112, 2) to move

movimento *m.* movement, activity

mudar-se to move

muitíssimo very much

muito -a much; muitos -as many; muito *adv.* very, much, hard, a great deal; — . . . para too . . . to; muitas vezes often

mundo *m.* world; todo o — everybody

murchar to wilt

música *f.* music

## N

na = em + a in the

-na her, it

nada nothing; não . . . — nothing, not anything

nadar to swim

não not; no; — . . . nada nothing, not anything; também — not either, neither; — . . . mais no longer, not any longer; já — no longer; a — ser que unless; — é?

*or* — é assim? is it not so?; *see*
crer
naquela = em + aquela in that
naquêle = em + aquêle in that
nas = em + as in the
nascer (110) to be born
nativo -a native, indigenous
natural -ais *m.* native
natureza *f.* nature
navegante *m.* navigator
nela = em + ela in it, in her
nêle = em + êle in it, in him
nem . . . nem neither . . . nor
nenhum -a no, not any
nessa = em + essa in that
nêsse = em + êsse in that
nesta = em + esta in this
nêste = em + êste in this
neve *f.* snow
ninguém no one, nobody
nisso = em + isso in that
nisto = em + isto in this
no = em + o in the
-no him, it
noite *f.* night, evening; esta — this
evening, tonight; *see* ontem
no-la = nos + a it to us
no-lo = nos + o it to us
nome *m.* name
nono -a ninth
noroeste *m.* northwest
norte *m.* north
norte-americano -a American,
North American
nos = em + os in the
nos us, to us
nós we; us
nosso -a our, ours
notar (112, 1) to note

notícia *f.* news; *see* ter
Nova York (*pronounced as if spelled*
Nova Yorky) New York
nove nine
novecentos -as nine hundred
novembro *m.* November
noventa ninety
novo, nova (45) new, recent, young
número *m.* number
nunca never

O

o *m. art.* the; *pron.* him, it; — que
(a que, os que, as que) he who
(she who, the one who, those who,
the ones who, he whom, the one
which, the one that); o que *neut.*
what, that which; o de, a de, os
de, as de that of, those of
obra *f.* work
obrigado -a thanks, thank you;
muito — many thanks
oceano *m.* ocean
oeste *m.* west
oitavo -a eighth
oitenta eighty
oito eight; — dias a week
oitocentos -as eight hundred
ôlho, olhos (44) *m.* eye
onde where; de —? from where?;
para —? where? (i.e., whither);
por —? which way?
ontem yesterday; — à noite last
night, last evening
onze eleven
oportunidade *f.* opportunity
ordem *f.* order
origem *f.* origin, rise
ou or
outono *m.* autumn, fall

outro -a other, another, any other;
 um ao — each other
outubro *m.* October
ouvir (126) to hear; — dizer que to
 hear that
ôvo, ovos (44) *m.* egg

## P

pacote *m.* package
padeiro *m.* baker
pagar (106) to pay
pago *p.p. of* pagar
pai *m.* father
país *m.* country
palavra *f.* word
pão, pães *m.* bread, loaf of bread;
 — de açúcar sugar-loaf; pães
 loaves of bread
papel, papéis *m.* paper
par *m.* pair; *adj.* even
para for, to, towards; —que so that,
 in order that
Paraguai *m.* Paraguay
parar de to stop
parecer (110; 111, 2) to seem (to),
 look; — -se com to resemble
parque *m.* park
parte *f.* part; fazer — de to belong
 to; a maior — the majority, the
 most
partir to leave, go away
passado -a last
passar to spend; — sem to do without
passeio *m.* walk; *see* dar
passo *m.* step; ao — que while
paulista *m. & f.* native of São Paulo
paz *f.* peace
pé *m.* foot; em — standing; *see* ir

peça *f.* piece; — de teatro play
pedir (127) to ask, request
pedra *f.* stone
pela = por + a by the
pelo = por + o by the
pena *f.* trouble; é — it is a pity
pensão -sões *f.* boardinghouse
pensar (111, 4) to intend to; to
 think; — em to think of
pequeno -a small, little
perceber (111, 2) to understand
perder (128) to lose; to miss
perguntar to ask, inquire; — por to
 ask for *or* about
período *m.* period
permitir to permit (to)
pertencer (110; 111, 5) to belong
perto (de) near
pesar (111, 1) to weigh
pessoa *f.* person
pianista *m. & f.* pianist
piano *m.* piano
pintar to paint
pior worse, worst
pires *m.* saucer
planta *f.* plant
pobre poor
poder (129) to be able (to), can
poesia *f.* poetry, poem
pois well
ponto *m.* point; — final terminus
por by, for, after, because of; — alí
 that way; — aquí this way; —
 igual evenly; — isso for that
 reason, therefore; — onde? which
 way?; — que? why?
pôr (130) to put, place; to put on;
 — -se a to begin to
porém but, however

**porque** because
**porta** *f.* door
**pôrto, portos** *m.* (44) harbor, port
o **Pôrto** Oporto; **vinho do Pôrto**
port wine
**Portugal** *m.* Portugal
**português, portuguêsa** Portuguese
**possível, possíveis** possible
**possuir** (113, 2 a) to possess
**pôsto, posta** (45) *p.p. of* pôr
**pouco -a** little; **poucos -as** few;
**pouco** *adv.* little; **um — a** little
**poupar** to save
**povo, povos** (44) *m.* people
**praça** *f.* public square
**praia** *f.* beach
**prato** *m.* plate
**prazer** *m.* pleasure
**precisar (de)** to need
**preciso -a** necessary
**prédio** *m.* building, property
**preferir** (111, 3) to prefer
**preguiçoso, preguiçosa** (45) lazy
**prelo** *m.* press; **no — in** press
**preparação -ões** *f.* preparation
**preparar** to prepare
**presenciar** (114, 2) to witness, be
present at
**presente** present
**pressa** *f.* hurry, haste, speed; *see* **ter**
**primavera** *f.* spring
**primeiro -a** first; early; **primeiro**
**andar** second floor; **primeiro** *adv.*
first, in the first place
**princípio** *m.* beginning
**proclamação -ões** *f.* proclamation
**procurar** to look for, seek; to try to
**professor** *m.* professor
**progresso** *m.* progress

**proïbir** to prohibit, forbid
**prometer** (111, 2) to promise
**pronto -a** ready
**pronúncia** *f.* pronunciation
**pronunciar** (114, 2) to pronounce
**proteção** *f.* protection
**proteger** (107; 111, 2) to protect
**prova** *f.* proof
**provável, prováveis** probable
**província** *f.* province
**próximo -a** ($x = ss$) next
**publicação -ões** *f.* publication

## Q

**quadrado -a** square
**qual, quais** what, which; o **qual**
who, whom
**quando** when
**quanto -a?** how much?; **quanto**
**tempo?** how long?; **quantos -as**
all those who; how many?;
**quanto** all that, everything that;
**quanto antes** as soon as possible
**quarenta** forty
**quarta** *f.* Wednesday
**quarta-feira** *f.* Wednesday
**quarto** *m.* room, bedroom; quarter
(of an hour); **quarto -a** fourth
**quase** almost
**quatorze** fourteen
**quatro** four
**quatrocentos -as** four hundred
**que** what, which; who, whom; that;
o **— what,** that which; he who,
the one who
**quem** who, whom; **de —?** whose?
**quente** hot
**querer** (131) to wish (to), want (to),
will; **— dizer** to mean

quilo *m.* kilogram
quinhentos -as five hundred
quinta *f.* Thursday
quinta-feira *f.* Thursday
quinto -a fifth
quinze fifteen; — dias two weeks
quiosque *m.* newsstand

## R

rapaz *m.* boy
rapidamente rapidly, fast
raro -a rare
razão -ões *f.* reason; *see* ter
recear (114, 1) to fear (to)
recreio *m.* recreation, change
redondo -a round
refeição -ões *f.* meal
reforma *f.* reform
rei *m.* king
relação -ões *f.* relation, contact
relógio *m.* clock, watch
repetir (111, 3) to repeat
representar (111, 4) to represent
reproduzir to reproduce
república *f.* republic
responder (112, 5) to answer
ressequir to dry up
retângulo *m.* rectangle
revolução -ões *f.* revolution
rico -a rich
rio *m.* river
o Rio (de Janeiro) Rio de Janeiro
rir (132) to laugh; — -se de to
laugh at
risco *m.* risk
roça *f.* field, plowed field; clearing
rocha *f.* rock
rôlo, rolos (44 a) *m.* roll

romance *m.* novel
romper (112, 5) to break; to tear
roupa *f.* clothing; — de banho
bathing suit
rua *f.* street

## S

sã *f. of* são
sábado *m.* Saturday
saber (133) to know; to learn, find
out about; to know how to, be
able to
sair (134) to go out, come out, appear; — de casa to go out of the
house, leave the house
sala *f.* room; — de jantar dining
room
saltar to get off
santo *m.* saint
são, sã healthy
São Paulo São Paulo
São Sebastião Saint Sebastian
sapato *m.* shoe
saüdades *f. pl.* longing; *see* ter
se if; himself, herself, itself, yourself, themselves, yourselves
século *m.* century
séde *f.* seat
sêde *f.* thirst; *see* estar *and* ter
segrêdo, segredos *m.* secret
seguinte following
seguir (108; 111, 3) to follow
segunda *f.* Monday
segunda-feira *f.* Monday
segundo -a second
seis six
seiscentos -as six hundred
sêlo, selos *m.* stamp; — do correio
postage stamp

**sem** *prep.* without; — **que** *conj.* without

**semana** *f.* week; **na próxima** — next week

**semear** (114, 1) to sow

**sempre** always

**senhor** *m.* gentleman; sir; you

**senhora** *f.* lady, young lady; miss, Mrs.; you

**sentado -a** seated

**sentar-se** (111, 4) to sit down, seat oneself

**sentir** (111, 6) to be sorry; to smell

**ser** (135) to be; **a não** — **que** unless

**serra** *f.* mountain range, mountain

**servir** (111, 3) to serve

**sessenta** sixty

**sete** seven

**setecentos -as** seven hundred

**setembro** *m.* September

**setenta** seventy

**sétimo -a** seventh

**seu, sua** his, her, hers, your, yours, their, theirs

**sexta** (x = ss) *f.* Friday

**sexta-feira** (x = ss) *f.* Friday

**sexto -a** (x = ss) sixth

**si** himself, herself, itself, yourself, themselves, yourselves

**significar** (105) to mean

**sim** yes; **mas** — but (*after a negative verb*); *see* **crer**

**simbolizar** to symbolize

**simples** simple

**só** only, alone, single

**sob** under

**sôbre** on, over; about

**soldado** *m.* soldier

**solteiro -a** single, unmarried

**som, sons** *m.* sound

**sombra** *f.* shade

**sòmente** only

**sono** *m.* sleep; *see* **ter**

**soprano** *m.* soprano; soprano voice

**sorvete** *m.* ice cream

**sòzinho -a** all alone

**sua** *f. of* **seu**

**subir** (113, 1) to go up, to come up; — **para** to get on *or* in (*a vehicle*)

**suceder a** (111, 2) to succeed, follow

**sudoeste** *m.* southwest

**sul** *m.* south; southern

**suposto, suposta** (45) supposed

**surpreender** (111, 5) to surprise; **surpreende-me** I am surprised

**suspenso -a** hung, hung up; *p.p. of* **suspender**

## T

**ta** = **te** + **a** it to thee

**tabacaria** *f.* cigar store

**tabaco** *m.* tobacco

**também** also, too; — **não** not either, neither

**tanto -a** so much; **tantos -as** so many; **tantas vezes** so often; **tanto** *adv.* so much

**tão** so; — . . . **quanto** as . . . as

**tarde** *f.* afternoon, evening; *adv.* late; *see* **amanhã**

**teatro** *m.* theater; **peça de** — play

**temer** (111, 5) to fear (to), be afraid (to)

**tempo** *m.* time; weather; **que** — **faz?** *or* **como está o** —? how is the weather?; **é** — **de** it is time to; **muito** — a long time; **quanto** —? how long?

**temporąda** *f.* season
**tencionąr** to intend to
**tęr** (136) to have, possess; **quąntos
ąnos tęm . . . ?** how old is
. . . ?; — . . . ąnos to be . . .
years old; — **calǫr** to be warm,
be hot; — **fǫme** to be hungry;
— **frįo** to be cold; — **mêdo de** to
be afraid to; — **notícias de** to
hear from; — **pęna** to be sorry;
— **pręssa (de)** to be in a hurry
(to); — **razão** to be right; —
**saüdądes** to long for, be homesick for, to miss; — **sêde** to be
thirsty; — **sǫno** to be sleepy; —
**tęmpo para** to have the time to;
— **vontąde de** to have a notion
to, wish to, be anxious to; — **que**
*or* **de** + *inf.* to have to; — +
*noun* + **para** to have . . . to;
**įr** — **com** to go to see
**têrça** *f.* Tuesday
**têrça-fęira** *f.* Tuesday
**tercęiro -a** third
**terminąr** to end
**tęrno** *m.* suit (of clothes)
**tęrra** *f.* earth, ground
**tęu, tųa** thy, thine
**tį** thee
**tįo** *m.* uncle
**tirąr** to take off; to take away, remove; to pull
**to** = **te** + **o** it to thee
**tǫdo, tôda** (45 a) all, every, whole;
**tǫdos** everybody; **tǫdo o mųndo**
everybody
**tomąr** (112, 4) to take; — **um bą-
nho de mąr** to go bathing in the
ocean

**tôpo, tôpos** (44 a) *m.* top, summit
**tornąr** (112, 1) to return; to become; — **a** to . . . again
**tôrre, tôrres** *f.* tower
**tossįr** (112, 3) to cough
**trabalhadǫr** *m.* workman
**trabalhąr** to work
**trabąlho** *m.* work
**transformąr** to transform
**travessįa** *f.* crossing
**trazęr** (137) to bring
**tręm, tręns** *m.* train
**três** three
**tręze** thirteen
**trezęntos -as** three hundred
**trįnta** thirty
**tų** thou
**tųdo** everything, all
**túnel, túneis** *m.* tunnel
**turįsta** *m. & f.* tourist

## U

**ùltimamęnte** lately, recently
**último -a** last
**ųm, ųma** a, an; one; **ųm ao ǫutro**
each other; **ųm a ųm** one by one
**unįr** to unite
**universidąde** *f.* university
**ųso** *m.* use
**útil, úteis** useful; *see* **dia**

## V

**vągo -a** unoccupied, not taken
**valęr** (138) to be worth; — **a pęna**
to be worth while
**vąmos** + *inf.* let us . . .
**vários -as** several
**vąsto -a** vast

vazio -a empty
velho -a old; o velho the old man
vender (111, 5) to sell
Venezuela f. Venezuela
ventar (111, 4) to be windy; está ventando it is windy
vento m. wind
ver (139) to see
verão -ões m. summer
verdade f. truth; é — it is true
verde green
vestir (111, 3) to put on; —-se to dress (oneself)
vez f. time; em — de instead of; algumas vezes sometimes; muitas vezes often; tantas vezes so often
Via Láctea f. Milky Way
viagem f. trip, voyage
viajar to travel
vida f. life
vinho m. wine; — do Pôrto Port wine
vinte twenty
violino m. violin

vir (140) to come; — a + inf. to come to, to happen to
visita f. visit
visitar to visit
visto -a p.p. of ver
vivo -a living
vizinho -a neighboring, next door; vizinho m. neighbor
você you
vo-la = vos + a it to you
vo-lo = vos + o it to you
volta f. return; estar de — to be back
voltar (112, 1) to return; — a to . . . again
vontade f. will, wish, desire; see estar and ter
vos you, to you
vós you
vosso -a your
voz f. voice
vulgarmente commonly, popularly

Z

zona f. zone

# English-Portuguese Vocabulary

## A

**able; to be** — poder
**absent** ausente
**across; — the street** defronte
**actor** ator *m.*
**address** enderêço *m.*
**advise** aconselhar
**afraid; to be** — (to) temer, ter mêdo (de)
**after** *prep.* depois de; *conj.* depois que
**afternoon** tarde *f.*
**afterwards** depois
**again** novamente; **to . . .** — tornar a, voltar a
**ago** há
**air** ar *m.*
**all** todo
**allow** deixar, permitir
**almost** quase
**also** também
**although** ainda que
**always** sempre
**American** americano -a, norteamericano -a
**and** e
**another** outro -a
**any** algum -a; **not . . .** — não . . . nenhum
**anything** alguma coisa; **not . . .** — não . . . nada
**arrive** chegar; **to — home** chegar a casa

**as** como; quanto; **— . . . —** tão . . . quanto
**ask (inquire)** perguntar; **(request)** pedir; **to — for** *or* **about** perguntar por; **to — for (request)** pedir; **to — to** pedir para *or* que; **to — a question** fazer uma pergunta
**at** em; **(in expressions of time)** a
**automobile** automóvel *m.*
**autumn** outono *m.*
**avenue** avenida *f.*
**awake** acordar; **to get** — acordar
**away; to go** — ir-se, ir-se embora

## B

**back; to be** — estar de volta
**bad** mau, má
**badly** mal
**baker** padeiro *m.*
**bark** latido *m.*
**bathing suit** roupa de banho
**be** ser, estar; **it is . . .** o'clock são; **(of weather) it is** faz, está; **there is, there are** há; *see* **back, cold, glad, hot, hungry, sleepy, sorry, thirsty, worth,** *and* **year**
**beautiful** formoso -a
**because** porque
**bed** cama *f.*; **to go to** — deitar-se, ir para a cama
**bedroom** quarto *m.*
**before** *prep.* antes de; *conj.* antes que

begin começar
behind atrás de
believe crer, acreditar
best melhor
better melhor
bill conta *f.*
bit; a little — um bocadinho
blind cego -a
blue azul
book livro *m.*
bookcase estante *f.*
bookstore livraria *f.*
boy rapaz *m.*
Brazil o Brasil
bread pão *m.*
breakfast café *m.*, café da manhã
bring trazer
brother irmão *m.*
building prédio *m.*, edifício *m.*
but mas
buy comprar

C

call chamar; to — the roll fazer a
    chamada
can poder
candy store confeitaria
case caso *m.*; in case (that) caso
chair cadeira *f.*
church igreja *f.*
city cidade *f.*
class classe *f.*
classroom aula *f.*
clock relógio *m.*; see o'clock
cold frio; to be — ter frio
collection coleção *f.*
come vir; to — down descer; to —
    into entrar em; to — up subir
confidence confiança *f.*

continue continuar
copy copiar
correct corrigir
correctly corretamente
cough tossir
could *pret., imperf. ind., and cond.*
    *of* poder
count contar
country campo *m.*; país *m.*
cup chícara *f.*
customer freguês *m.*

D

day dia *m.*
deal; a great — muito, muitíssimo
December dezembro *m.*
did you not? não é assim?
difficult difícil
do fazer; to — without passar sem
doctor médico *m.*
dog cão *m.*
door porta *f.*; next — vizinho -a
doubt duvidar
drawer gaveta *f.*
dress (oneself) vestir(-se)
drink beber

E

each cada; — other um ao outro,
    uns aos outros; nos, se
early cedo; — enough bastante
    cedo; pretty — cedinho
easy fácil
eat comer
egg ôvo *m.*
eight oito
either; not — também não
eleven onze
emperor imperador *m.*

empty vazio
English inglês
enjoy gozar de; to — oneself divertir-se
enough bastante; early — bastante cedo
enter entrar em
even par
evening tarde *f.*
evenly por igual
every todo
everybody todos, todo o mundo
example exemplo *m.*
excellent excelente
exercise exercício *m.*
expect contar, esperar, pensar
eye ôlho *m.*

## F

face dar para
fall cair
famous famoso, célebre
far (from) longe (de)
fast depressa, ràpidamente
father pai *m.*
February fevereiro *m.*
few poucos -as; fewer menos
find achar, encontrar; to — out about saber
fine bom, boa; belo -a
finish acabar, terminar
five cinco; — hundred quinhentos -as
floor andar *m.*; chão *m.*
flower flor *f.*
follow seguir
following seguinte
for para, a, durante
forget esquecer, esquecer-se de

four quatro
French francês
Friday sexta *f.*; sexta-feira *f.*
friend amigo *m.*
from de
front; in — of diante de
full cheio -a

## G

garden jardim *m.*
general general *m.*
generally geralmente
German alemão, alemã
get apanhar, conseguir; to — awake acordar; to — married casar(-se); to — off descer; to — on subir para; to — ready to preparar-se a *or* para; to — tired of cansar-se de; to — up levantar-se
girl moça *f.*, mocinha *f.*
give dar
glad; to be — ficar contente
glass copo *m.*
glove luva *f.*
go ir; to — away ir-se, ir-se embora; to — to bed deitar-se, ir para a cama; to — shopping ir fazer compras; to — to sleep adormecer; to — to see ir ter com
good bom, boa
great grande; a — deal muito, muitíssimo
greatest; the — o mais grande
ground chão *m.*

## H

half meio -a; — past . . . e meia
happy feliz
harbor pôrto *m.*

hard difícil; *adv.* muito; **harder** mais
hat chapéu *m.*
have ter; **(cause)** mandar; **to — to**
ter que, ter de; **to — + *noun* + to**
ter . . . para; **to — (the) time**
**to** ter tempo para; **to — a notion**
**to** ter vontade de, estar com vontade de; **to — just** acabar de;
**had just** acabava de
he êle
healthy são, sã
hear ouvir; **to — that** ouvir dizer
que
help ajudar; **to — to** ajudar a
her *pers. pron.* a, -la, -na, ela; **to —**
lhe, a ela; *poss. pron. & adj.* seu,
sua, o . . . dela
here cá, aquí; **— is** aquí tem
herself se
hesitate hesitar
him o, êle; **to —** lhe, a êle; **it to —**
lho, lha; **with —** com êle, consigo
himself se
his seu, sua, o . . . dêle
home *(with verbs of motion)* para
casa, a casa; **home** *or* **at home** em
casa; **to arrive —** chegar a casa
homesick; **to be — for** ter saüdades
de
hope esperar
hot quente; **to be —** ter calor
hotel hotel *m.*
house casa *f.*; **the — next door** a
casa vizinha
how como; **— many** quantos -as;
**— is the weather?** como está o
tempo? **— old is . . . ?** quantos
anos tem . . . ?; **to know —**
saber

hundred cem; **five —** quinhentos
-as
hungry; **to be —** ter fome, estar
com fome
hurry apressar-se

## I

I eu
ice cream sorvete *m.*
if se
important importante
in em; *(after a superlative)* de; **—**
**the** no, na, nos, nas
instead of em vez de
intend contar, pensar, tencionar
it o, a, -lo, -la, -no, -na; **— to him**
lho, lha; **— to me** mo, ma; **— to**
**them** lho, lha; **— to us** no-lo,
no-la; **in —** nêle, nela

## J

January janeiro *m.*
John João
Joseph José *m.*
just; **to have —** acabar de; **had —**
acabava de

## K

key chave *f.*
kind (to) bom, boa (para)
king rei *m.*
know saber; conhecer; **to — how**
saber

## L

lady senhora *f.*
language língua *f.*
large grande
last passado -a; **— night** ontem à
noite

late *adv.* tarde
lately ùltimamente
laugh rir; to — at rir-se de
lazy preguiçoso
learn aprender
leave partir, ir-se embora; sair de,
  deixar
left esquerdo -a
less menos
lesson lição *f.*
let deixar, permitir; — us vamos
letter carta *f.*; letra *f.*; —s (*literature*) letras
library biblioteca *f.*
lie mentira *f.*
light luz *f.*; lâmpada *f.*
like (to) gostar de
Lisbon Lisboa *f.*
listen to escutar
little pouco -a; *adv.* pouco
live morar
loaf of bread pão *m.*
long comprido -a; longo -a; how —?
  quanto tempo?; a — time muito
  tempo; to — for ter saüdades de
longer; no — já não, não . . . mais
look parecer; to — for procurar; to
  — like parecer-se com
lunch almôço *m.*

M

maid criada *f.*
man homem *m.*
many muitos -as; how —? quantos
  -as?
married casado -a; to get — casar
  (-se)
Mary Maria *f.*

me me; mim; to — me, a mim; it to
  — mo, ma; them to — mos, mas;
  with — comigo
mean significar, querer dizer
mend consertar
minute minuto *m.*
miss perder; ter saüdades de
money dinheiro *m.*
month mês *m.*
more mais
morning manhã *f.*; — paper jornal
  da manhã; tomorrow — amanhã
  de manhã
mother mãe *f.*
mountain montanha *f.*
move mover; (*change residence*)
  mudar-se
movie cinema *m.*
much muito; very — muitíssimo;
  so — tanto; too — demais, de-
  masiado
must dever, ter que *or* de
my meu, minha
myself me

N

name nome *m.*
narrow estreito -a
near perto (de)
necessary preciso -a
necktie gravata *f.*
need precisar (de)
neighbor vizinho *m.*
neighboring vizinho -a
never nunca
new novo -a
news notícia *f.*
newspaper jornal *m.*

**New York** Nova York
**next** próximo -a; — **door** vizinho -a; — **week** na próxima semana
**night** noite *f.*; **last** — ontem à noite
**nine** nove; — **o'clock** nove
**ninth** nono -a; (*in dates*) nove
**no** não; — **one** ninguém; — **longer** já não
**not** não — **any** não . . . nenhum
**nothing** nada; não . . . nada
**notion; to have a** — **to** estar com vontade de, ter vontade de
**now** agora, já
**number** número *m.*

## O

**o'clock; it is** . . . — são
**odd** ímpar
**of** de; — **the** do, da, dos, das
**off;** *see* get *and* take
**old** velho -a; **how** — **is** . . . ?
quantos anos tem?; **to be** . . .
**years** — ter . . . anos
**on** em, sôbre; **to put** — vestir, pôr
**once** uma vez; **at** — imediatamente, logo, já
**one** um, uma; — **o'clock** uma; **no** — ninguém
**only** apenas, só, sòmente
**open** abrir; *adj. & p.p.* aberto -a
**opportunity** oportunidade *f.*
**order** mandar
**other** outro -a; **each** — um ao outro, uns aos outros; nos, se
**our** nosso -a
**ours** nosso -a, o nosso, a nossa
**out; to put** — apagar
**outside** lá fora
**owe** dever

## P

**package** pacote *m.*
**pair** par *m.*
**paper** papel *m.*; (*newspaper*) jornal *m.*; **morning** — jornal da manhã
**past** (*in telling time*) e
**pay** pagar
**pen** caneta, pena
**pencil** lapis *m.*
**people** gente *f.*
**permit** permitir
**person** pessoa *f.*
**Philadelphia** Filadélfia *f.*
**physician** médico *m.*
**pineapple** abacaxí *m.*
**place** pôr, colocar; lugar *m.*
**play** brincar; peça de teatro
**please** faz favor de
**pocket** bôlso *m.*
**pocketbook** bôlsa *f.*
**polite** cortês
**poor** pobre
**poorly** mal
**Portuguese** português, portuguêsa
**possible** possível; **as soon as** — quanto antes
**press** prelo *m.*; **in** — no prelo
**pretty** lindo -a, bonito -a; — **early** cedinho
**professor** professor *m.*
**pronounce** pronunciar
**pronunciation** pronúncia *f.*
**proof** prova *f.*
**provided that** contanto que
**pupil** aluno *m.*
**put** pôr, colocar; **to** — **on** vestir, pôr; **to** — **out** apagar

## Q

quarter quarto *m.*
question pergunta *f.*; to ask a —
fazer uma pergunta
quickly ràpidamente

## R

rain chover
read ler
ready pronto; to get — preparar-se
a *or* para
remain ficar
remember (to) lembrar-se de
remind lembrar
rent alugar
repair consertar
repeat repetir
resemble parecer-se com
return voltar
right direito -a; — away imediatamente, logo
Rio de Janeiro o Rio (de Janeiro)
road estrada *f.*
roll rôlo *m.*; to call the — fazer a
chamada
room quarto *m.*; sala *f.*
run into dar com, encontrar

## S

Saturday sábado *m.*
saucer pires *m.*
say dizer
school escola *f.*
seashore praia *f.*
season estação *f.*; temporada *f.*
seated sentado -a
second segundo -a
secret segrêdo *m.*
see ver

sell vender
send enviar; to — for mandar
chamar
sentence frase *f.*
shave barbear
she ela
shirt camisa *f.*
shoe sapato *m.*
shopping; to go — ir fazer compras
show mostrar
shut fechar
side lado *m.*
silent; to be — calar-se
simple simples
sing cantar
sir senhor *m.*
sister irmã *f.*
six seis
sleep sono *m.*; to — dormir; to go to
— adormecer
sleepy; to be — ter sono
slowly devagar
small pequeno -a
smoke fumar
snow neve *f.*
so assim; tão; — much tanto; —
that para que
some algum -a
sometimes algumas vezes
soon em breve; as — as assim que,
logo que; as — as possible
quanto antes
sorry; to be — ter pena, sentir
sound som *m.*
Spanish espanhol
speak falar
spend passar; gastar
standing em pé
station estação *f.*

**stay** ficar
**still** ainda
**stone** pedra *f.*
**store** loja *f.*; **candy** — confeitaria
**story** história
**straight** *adv.* direito
**strawberry** morango *m.*
**street** *f.* rua; **across the** — defronte
**streetcar** bonde *m.*
**strike** dar
**student** aluno *m.*
**studious** aplicado -a
**study** estudar; estudo *m.*
**suit** terno *m.*; **bathing** — roupa de banho
**summer** verão *m.*
**Sunday** domingo *m.*
**sure** certo -a
**surprise** surpreender; **I am surprised** surpreende-me
**sweet** doce

## T

**table** mesa *f.*
**take** apanhar, levar; ficar com; **to — away** levar; **to — off** tirar; **to — tea** tomar chá; **to — a trip** fazer uma viagem; **to — a walk** dar um passeio
**talk** falar
**tall** alto -a
**tea** chá *m.*
**teach** ensinar
**tell** dizer
**ten** dez
**tenth** décimo -a; (*in dates*) dez
**than** que, do que; (*before numerals*) de

**thanks** obrigado -a; **many** — muito obrigado -a
**that** *conj. & rel. pron.* que; **so** — para que; *dem. pron.* êsse, essa; isso; aquêle, aquela; aquilo; — **one** êsse, essa; aquêle, aquela
**the** o, a, os, as; **of** — do, da, dos, das; **in** *or* **on** — no, na, nos, nas; **by** — pelo, pela, pelos, pelas
**theater** teatro *m.*
**their** seu, sua; o . . . dêles, o . . . delas
**them** os, as, -los, -las, -nos, -nas; **to** — lhes, a êles, a elas; **it to** — lho, lha; — **to us** no-los, no-las; — **to** — lhos, lhas; — **to me** mos, mas
**themselves** se
**there** aí, alí, lá; — **is,** — **are** há
**these** êstes, estas
**they** êles, elas
**think** crer, acreditar, pensar; **to** — **so** crer que sim; **to** — **not** crer que não
**thirsty; to be** — estar com sêde, ter sêde
**thirty** trinta
**thirty-one** trinta e um -a
**this** êste, esta; isto; — **one** êste, esta
**those** êsses, essas; aquêles, aquelas; os, as
**three** três
**Thursday** quinta *f.*, quinta-feira *f.*
**ticket** bilhete *m.*
**time** tempo *m.*; **it is** — **to** é tempo de; **what** — **is it?** que horas são?; **to have the** — **to** ter tempo para; **a long** — muito tempo

**tired** cansado -a; **to get — of** cansar-se de
**to** a; para; (*in telling time*) menos; **to —** ao, à, aos, às
**today** hoje
**together** juntos -as
**tomorrow** amanhã; **— morning** amanhã de manhã
**too** também; demais, demasiadamente; **— much** demais
**towards** para
**train** trem *m.*
**travel** viajar
**trip** viagem *f.*; **to take a —** fazer uma viagem
**trolley car** bonde *m.*
**true**; **it is —** é verdade
**truth** verdade *f.*
**Tuesday** têrça *f.*, têrça-feira *f.*
**tumbler** copo *m.*
**twelve** doze; **— o'clock** meio-dia *m.*, meia-noite *f.*
**twenty** vinte
**two** dois, duas

## U

**umbrella** guarda-chuva *m.*
**understand** perceber, compreender
**United States** Estados Unidos *m.pl.*
**unkind (to)** mau, má (para)
**unless** a menos que
**unmarried** solteiro -a
**unoccupied** vago -a
**up**; **to come —** subir; **to get —** levantar-se; **to go —** subir
**us** nos; nós; **to —** nos, a nós; **it to —** no-lo, no-la; **them to —** no-los, no-las; **with —** conosco
**useful** útil

## V

**very** muito
**violin** violino *m.*
**visit** visitar; visita *f.*
**voice** voz *f.*

## W

**wait** esperar
**waiter** garçon *m.*
**walk** passeio; **to take a —** dar um passeio; **to — ir** a pé
**want** desejar, querer
**water** água *f.*
**way** via *f.*; **which —?** por onde?; **that —** por alí
**we** nós
**weather** tempo *m.*; **how is the —?** como está o tempo?
**Wednesday** quarta *f.*, quarta-feira *f.*
**week** semana *f.*, oito dias; **two —s** quinze dias; **next —** na próxima semana
**well** bem
**what** que, o que, qual
**when** quando
**where** onde, para onde; **from —?** de onde?
**whether** se
**which** qual; **— way?** por onde?
**while** enquanto (que), ao passo que
**who** que, quem
**whom** que, quem
**whose** de quem
**why?** por que?
**window** janela *f.*
**windy**; **it is —** está ventando
**wine** vinho *m.*

**winter** inverno *m.*
**wish** desejar, querer
**with** com; — **me** comigo; — **us** conosco; — **you** com você, com o senhor; — **her** com ela, consigo; — **him** com êle, consigo; — **them** com êles, com elas, consigo
**without** *prep.* sem; *conj.* sem que; **to do** — passar sem
**wonderful** maravilhoso
**word** palavra *f.*
**workdays** dias úteis
**worse** pior
**worth; to be** — valer
**write** escrever

**writer** escritor *m.*
**written** escrito -a

### Y

**year** ano *m.*; **to be . . . —s old** ter . . . anos
**yes** sim
**yesterday** ontem
**yet** ainda; **not** — ainda não
**you** o senhor, a senhora, você; o, a, os, as; **to** — lhe, lhes, a você, ao senhor, à senhora; **with** — com você, com o senhor
**young** novo -a, jovem
**your** seu, sua; o . . . do senhor
**yourself, yourselves** se

# Index

Numbers refer to sections. See Portuguese-English Vocabulary for further references.

193